JN437670

교재편

GRAMMATIK

독문법 강의록

신형욱 · 김백기 지음

HU:iNE

머리말

의사소통 중심 외국어교육이 강조되면서 전통적인 문법교육은 배척되어 왔다. 언어는 지식이 아니라 능력이라는 지적과 함께, 듣기 · 말하기 이후에 읽기 · 쓰기가 학습되는 모국어 습득 과정을 외국어 학습에도 적용하고자 했기 때문이다. 그러나 인지적 발달과 함께 자연스럽게 진행되는 모국어 습득과 개별 모국어 습득 이후에 비로소 이루어지는 외국어 학습 사이에는 근본적인 차이가 있다.

언어와 사고는 서로 밀접한 연관을 맺고 있어서 모국어 습득과 함께 사고방식도 결정된다. 그리고 언어와 사고가 일치되어 가는 과정에서 언어감각이 형성된다. 이 언어감각을 바탕으로 인간은 자신의 생각을 언어로 표현할 수 있게 되는 것이다. 그런데 모국어를 통해서 이미 특정한 사고방식과 언어감각에 익숙해진 외국어 학습자는 해당 외국어의 새로운 언어감각을 습득하기가 쉽지 않다. 기존 사고방식이 이를 방해할 뿐만 아니라, 새로운 언어감각을 익히는 데에도 매우 많은 시간과 노력이 필요하기 때문이다. 따라서 새로운 언어감각을 효과적으로 익힐 수 있도록 하는 것이 외국어교육의 중요한 과제 중의 하나이다.

모국어 화자의 언어감각, 즉 규칙에 맞는 언어사용 능력을 기술한 것이 문법이다. 그러므로 문법은 언어사용 능력을 배양하는 데 반드시 습득해야 할 대상이다. 문제는 문법을 언어에 대한 지식으로서가 아니라, 언어사용을 가능하게 하는 활용능력으로 체득해야 한다는 점이다. 이러한 의미에서 기존의 문법 교육에 대한 비판은 그 방법에 국한되는 것이지, 그 학습 내용 자체가 되어서는 안 된다.

이 《독문법 강의록》은 문법 교수 · 학습이 의사소통 능력 배양을 위한 실용적인 활동이 되어야 한다는 인식에서 구상되었다. 따라서 학습의 출발점이 되는 예시문은 모두 일상생활에서 자주 사용하는 독일어 기본 표현들을 중심으로 선정하였다. 이로써 이 교재의 학습이 단순한 문법 학습으로 끝나지 않고, 독해 및 회화, 그리고 작문 교육으로 연계될 수 있을 것이다. 방법론적으로는 지루한 문법 설명 중심의 연역적 방법보다는 학습자가 예문을 통해서 스스로 규칙을 발견하고 정리할 수 있도록 귀납적 방법을 채택하였다.

이러한 기본 원칙을 바탕으로 하여 《독문법 강의록》은 "교재편"을 중심으로 "해설편" I과 II, 그리고 "어휘편"이 연계됨으로써 모두 4권으로 이루어진다. "교재편"은 총 26단원으로 구성되었으며, 단원별로 '기초 > 심화 > 마무리'의 단계별 학습 체제를 도입하였다. '기초 단계'에서는 단원의 학습 내용에 대한 최소한의 문법 사항을 정리한 기본 설명과 이에 대한 연습 문제를 통해 해당 문법 사항에 대한 지식을 확고히 정립하도록 이끌며, '심화 단계'에서는 실용적인 예문들과 함께 다양한 연습 문제를 제공함으로써 해당 문법 사항에 대한 이해를 더욱 심화하고 이를 활용할 수 있는 능력을 기르도록 하였다. '마무리 단계'에서는 학습 정도를 확인하고 정리할 수 있도록 한-독 번역 및 오류 수정 과제를 도입하였다.

두 권으로 이루어진 "해설편"은 학습자 스스로 연습 문제를 풀어가면서 자연스럽게 문법을 습득하도록 매우 상세한 설명을 담고 있다. 학습자는 마치 강의를 듣는 것처럼 모든 문제에 대해서 체계적이고 자세한 설명을 읽을 수 있을 것이다. 물론 반드시 처음부터 전체 내용을 읽을 필요는 없으며, 사전식으로 필요한 부분에 대한 설명만을 찾아서 읽어도 된다. 아울러 학습의 번거로움을 덜어주기 위해서 교재에 나온 낱말들을 설명한 "어휘편"도 함께 제공하여 혼자서 처음 독일어를 배우는 사람들도 불편함 없이 학습할 수 있도록 하였다.

오랫동안 독일어를 가르쳐오면서 의외로 많은 독일어 학습자들이 자신의 문법 실력이 부족하다고 생각하며, 좀 더 명확한 설명을 아쉬워하는 것을 보아왔다. 이제 이 《독문법 강의록》을 통해서 그 어려움이 조금이나마 해소될 수 있기를 희망한다.

2012년 2월

저자

GRAMMATIK

교재편

CONTENTS

Lektion 1

인칭대명사 (1) / 동사의 어미변화 (1) / 문장의 어순

1. 동사 원형은 *-en* 이다 : wohn*en* '거주하다' (영. live), komm*en* '오다' (영. come)

2. 동사는 주어에 따라 어미변화 한다.

			wohn*en*		komm*en*
ich 나는	⇒	ich	wohn*e* ...	ich	komm*e* ...
du 너는	⇒	du	wohn*st* ...	du	komm*st* ...
Sie 당신은	⇒	Sie	wohn*en* ...	Sie	komm*en* ...

3. 일반 평서문의 어순 : 「주어 + 동사 ...」 ("정치법")

   Ich wohn*e* in Berlin.
   <해석> 나는 베를린에 거주한다.

   Ich studier*e* Germanistik.
   <해석> 나는 독어독문학을 공부한다.

   ※주어가 아닌 성분이 문장 맨 앞에 오면 주어는 동사 뒤로 간다.
   즉, 「... 동사 + 주어 ...」 이다. ("도치법")

   Morgen komm*e* ich. (= Ich komm*e* *morgen*.)
   <해석> 내일 나는 온다. 나는 내일 온다.

4. 의문사 없는 의문문의 어순 : 「동사 + 주어 ...?」

   Wohn*st* du in Berlin? - Ja, ich wohn*e* in Berlin.
   <해석> 너는 베를린에 거주하니? - 응, 나는 베를린에서 살아.

   Wohn*en* Sie auch in Berlin? - Nein, ich wohn*e* nicht in Berlin.
   <해석> 당신도 베를린에 거주하십니까? - 아니오, 저는 베를린에서 살지 않습니다.

   Komm*st* du morgen? - Nein, morgen komm*e* ich nicht.
   <해석> 너는 내일 오니? - 아니, 내일 나는 오지 않아.

5. 의문사는 문장 맨 앞에 위치함 : 「의문사 + 동사 + 주어 ...?」

   Wo wohn*en* Sie? - Ich wohn*e* in Berlin.
   <해석> 어디에 당신은 거주하십니까? - 저는 베를린에 거주합니다.

   Wann komm*st* du? - Ich komm*e* morgen.
   <해석> 언제 너는 오니? - 나는 내일 와.

기초 문제

I. 밑줄 친 곳에 알맞은 어미는?

1. wohnen : ich wohn___ / du wohn___ / Sie wohn___
2. trinken : ich trink___ / du trink___ / Sie trink___
3. singen : ich sing___ / du sing___ / Sie sing___
4. kommen : ich komm___ / du komm___ / Sie komm___
5. gehen : ich geh___ / du geh___ / Sie geh___
6. hören : ich hör___ / du hör___ / Sie hör___
7. machen : ich mach___ / du mach___ / Sie mach___
8. studieren : ich studier___ / du studier___ / Sie studier___

II. 밑줄 친 곳에 알맞은 어미는?

1. Wann geh___ Sie? Geh___ Sie jetzt?
   Nein, ich geh___ später.
2. Wann komm___ Sie? Komm___ Sie heute?
   Nein, ich komm___ morgen.
3. Was trink___ Sie? Trink___ Sie Bier?
   Nein, ich trink___ Wein.
4. Was mach___ du jetzt? Lern___ du?
   Nein, ich hör___ Musik.
5. Wo studier___ du? Studier___ du in Berlin?
   Nein, ich studier___ in Hamburg.

III. 밑줄 친 곳에 알맞은 말은?

1. Trinken Sie gern Bier?
   Nein, Bier __________ ______ nie.
2. Hören Sie gern Musik?
   Ja, Musik __________ ______ gern.
3. Spielen Sie oft Fußball?
   Nein, Fußball __________ ______ nicht oft.
4. Kommst du morgen?
   Nein, morgen __________ ______ nicht.

【1】 Kochst du heute? - Ja, heute koche ich.

<해석> 너 오늘 요리하니? - 응, 오늘은 내가 요리해.

► 주어가 아닌 부사어 heute('오늘')가 문장 맨 앞에 오므로 *도치*됨 : Ja, *heute* koche ich.

【2】 Was studieren Sie? - Ich studiere Deutsch und Englisch.

<해석> 당신은 무엇을 전공하십니까? - 저는 독일어와 영어를 전공합니다.

► "Deutsch und Englisch"는 동사 studieren의 목적어임('~을, ~를').
※ '언어'는 고유명사로서 *관사 없음* : Deutsch 독일어, Englisch 영어, Französisch 불어, Koreanisch 한국어

【3】 Herr Rolf, warten Sie bitte! Ich komme gleich.

<해석> 롤프씨, 기다려 주세요. 제가 금방 가겠습니다.

► Herr ... (남자 호칭) '...씨' : Herr Rolf '롤프씨' / Frau ... (여자 호칭) '...부인' : Frau Kunze '쿤체 부인'
► 「동사 원형 + Sie ... !」 '...하세요!' (= Sie-명령문) : Warte*n* Sie! '기다리세요!'

【4】 Arbeitest du viel? - Nein, ich arbeite nicht viel.

<해석> 너는 많이 일하니? - 아니, 나는 많이 일하지 않아.

► 주어가 du이므로 원래는 어미 *-st* 가 붙어야 하지만, 동사 arbeiten은 어간 끝이 *-t* 이므로
발음상 어미 -*est* 가 붙음 : Arbeit*est du* ...? (즉, Arbeit*st* 아님!)
※ 어간 끝이 *-d* 인 동사들도 동일함 : finden '발견하다' → *Du* find*est* ... (즉, find*st* 아님!)
► 부정문을 만드는 부사어 *nicht* 는 부정하려는 요소 앞에 위치함!
예문에서 nicht는 viel('많이') 바로 앞에 와서 이를 부정함. 즉, '일은 하되 *많이 일하는 것은 아님*'을 뜻함.

【5】 Woher kommen Sie? Kommen Sie aus Deutschland? - Nein, ich komme aus England, aber ich lebe schon lange in Deutschland.

<해석> 당신은 어디에서 오셨습니까? 당신은 독일에서 오셨나요? - 아니오, 저는 영국 출신이지만, 이미 오랫동안 독일에서 살고 있어요.

► *woher* ('어디로부터?')는 의문사이므로 문장 맨 앞에 위치함! <참고> wo '어디에?' / wohin '어디로?' (방향)
► *in* ('~안에'), *aus* ('~로부터')는 *전치사* 임 : aus England '영국으로부터' / in Deutschland '독일에서'
※ 국가 명, 도시 명은 고유명사로서 관사 없음 : aus Deutschland '독일로부터' / in Berlin '베를린에서'

【6】 Was machst du am Sonntag? - Am Sonntag schlafe ich lange. Dann spiele ich Fußball oder lese ein Buch. Manchmal höre ich auch Musik.

<해석> 너는 일요일에 무엇을 하니? - 일요일에는 나는 오래 잠을 자. 그런 다음 축구를 하거나 책을 읽어. 가끔씩은 음악을 듣기도 해.

► 「*am* + 요일」 : am Sonntag '일요일에'
<참고> 요일 명 : Montag 월요일 / Dienstag 화요일 / Mittwoch 수요일 / Donnerstag 목요일 /
Freitag 금요일 / Samstag (= Sonnabend) 토요일 / Sonntag 일요일
► 부사어 : nie 결코 ...않다 / selten 좀체로 ... 않다 / manchmal 가끔 / oft, häufig 자주, 빈번히 / immer 항상

심화 문제

I. 다음 질문에 답하시오.

1. Spielen Sie heute Tennis? - Nein, heute ______________________________
2. Studieren Sie auch Germanistik? - Nein, ich ___________________________
3. Schlafen Sie am Sonntag lange? - Nein, am Sonntag ____________________
4. Leben Sie schon lange in Deutschland? - Ja, in Deutschland _____________
5. Hören Sie manchmal Musik? - Ja, manchmal ___________________________
6. Haben Sie am Samstag Zeit? - Ja, am Samstag _________________________

II. 질문을 완성하시오.

1. __________ ______________ du? - Ich wohne in Seoul.
2. __________ ______________ Sie? - Ich arbeite bei Samsung.
3. __________ ______________ du gern? - Ich spiele gern Handball.
4. __________ ______________ Sie? - Ich studiere Germanistik.
5. __________ ______________ du? - Ich komme aus Deutschland.
6. ______________ __________ gern? - Nein, ich tanze nicht gern.
7. ______________ __________ oft? - Ja, ich koche sehr oft.
8. ______________ __________ auch? - Nein, ich warte nicht.

III. <보기>처럼 주어진 표현을 사용하여 명령문을 구성하시오.

> **<보기>** hier warten :
>
> Herr Rolf, _warten Sie_ bitte _hier_!

1. gleich kommen :

   Herr Kunze, ____________________ bitte __________!
2. viel kochen :

   Frau Schneider, ____________________ bitte __________!
3. fleißig lernen :

   Herr Kim, ____________________ bitte __________!
4. laut lesen :

   Frau Berger, ____________________ bitte __________!
5. Musik hören :

   Herr Müller, ____________________ bitte __________!

마무리 문제

I. 괄호 안의 낱말을 사용하여 독일어로 옮기시오.

1. 독일에서 오셨습니까?
   (Deutschland, aus, kommen)

   ____

2. 음악을 즐겨 듣습니까?
   (Musik, gern, hören)

   ____

3. 기다리세요. 금방 가겠습니다.
   (warten, gleich, kommen)

   ____

4. 일요일에는 제가 축구를 합니다.
   (am Sonntag, Fußball, spielen)

   ____

5. 저는 독일에서 이미 오랫동안 살고 있습니다.
   (in Deutschland, schon lange, leben)

   ____

II. 잘못된 부분(들)을 고쳐서 다시 적으시오.

1. Ich wohnen in Bonn.

   ____

2. Was studieren du?

   ____

3. Was kochest du?

   ____

4. Spiele Sie Fußball?

   ____

5. Manchmal ich höre Musik.

   ____

6. Sie woher Kommen?

   ____

Lektion 2

인칭대명사 (2) / 동사의 어미변화 (2) / sein 동사 / 명사의 성 / 정관사 및 부정관사

1. 동사의 어미변화

			wohn*en* '살다, 거주하다'
ich '나는'	⇒	ich	wohn*e* ...
du '너는'	⇒	du	wohn*st* ...
er '그는' / sie '그녀는' / es '그것은'	⇒	er (sie, es)	wohn*t* ...
wir '우리는'	⇒	wir	wohn*en* ...
ihr '너희는'	⇒	ihr	wohn*t* ...
sie '그들은' / Sie '당신은, 당신들은'	⇒	sie, Sie	wohn*en* ...

2. 동사 sein([1] ...이다 ; [2] 있다, 존재하다, 영. be 동사)은 특수한 형태 변화를 한다.

ich *bin* ...	wir *sind* ...
du *bist* ...	ihr *seid* ...
er (sie, es) *ist* ...	sie, Sie *sind* ...

3. 명사는 성을 지닌다. 성에 따라 정관사, 부정관사의 형태는 다양하다!

		정관사		부정관사
*남성*명사 (m) : Mann '남자, 남편'	⇒	der Mann	/	ein Mann
*여성*명사 (f) : Frau '여자, 아내'	⇒	die Frau	/	eine Frau
*중성*명사 (n) : Kind '아이, 어린이'	⇒	das Kind	/	ein Kind

4. 앞에 나온 명사를 다시 받을 때 인칭대명사를 사용할 수 있다.

Da steht *ein Mann.* Er kommt aus England.

<해석> 저기에 한 남자가 서있다. 그는 영국 출신이다.

► 명사 Mann은 *남성*이므로 남성 부정관사 *ein* 이 앞에 옴. → 뒤 문장에서 *남성* 인칭대명사 er로 받음!

Da kommt *eine Frau.* Sie wohnt in Berlin.

<해석> 저기 한 여자가 온다. 그녀는 베를린에 거주한다.

► 명사 Frau는 *여성*이므로 여성 부정관사 *eine* 가 앞에 옴. → 뒤 문장에서 *여성* 인칭대명사 sie로 받음!

Da liegt *ein Buch.* Es ist sehr interessant.

<해석> 저기에 한 권의 책이 놓여 있다. 그것은 매우 재미있다.

► 명사 Buch는 *중성*이므로 중성 부정관사 *ein* 이 앞에 옴. → 뒤 문장에서 *중성* 인칭대명사 es로 받음!

기초 문제

I. 주어진 동사의 알맞은 형태는?

1. kochen : ich _____ / du _____ / er _____ / wir _____ / ihr _____ / sie, Sie _____
2. kommen : ich _____ / du _____ / er _____ / wir _____ / ihr _____ / sie, Sie _____
3. studieren : ich _____ / du _____ / er _____ / wir _____ / ihr _____ / sie, Sie _____
4. arbeiten: ich _____ / du _____ / er _____ / wir _____ / ihr _____ / sie, Sie _____
5. warten : ich _____ / du _____ / er _____ / wir _____ / ihr _____ / sie, Sie _____
6. sein: ich _____ / du _____ / er _____ / wir _____ / ihr _____ / sie, Sie _____

II. 밑줄 친 곳에 알맞은 어미는?

1. Woher komm___ Peter? - Er komm___ aus Österreich.
2. Wo wohn___ Frau Kunze? - Sie wohn___ in München.
3. Arbeit___ du auch am Samstag? - Nein, am Samstag arbeit___ ich nicht.
4. Wart___ Sie bitte, Herr Müller! Ich komm___ gleich.
5. Was mach___ wir jetzt? Hör___ wir Musik oder spiel___ wir Fußball?
6. Was mach___ das Kind? - Es schwimm___.
7. Herr Kunze red___ gern. - Ja, er red___ viel.

III. 밑줄 친 곳에 알맞은 동사 어미 또는 동사, 혹은 인칭대명사는?

1. Wo arbeit___ Herr Kunze? - _______ arbeit__ in Köln.
2. Was mach___ Frau Peters jetzt? - _______ koch___ Suppe.
3. Woher komm___ das Kind? - _______ komm___ aus Korea.
4. Wo leb___ Herr und Frau Meier? - _______ leb___ in München.
5. Peter und ich wohn___ in Hamburg. _______ studier___ beide Germanistik.
6. _______ du Student? - Ja, ich studier___ Chemie.
7. Was mach___ ihr heute? - Heute spiel___ _______ Tennis.
8. Herr Müller, sprech___ _______ bitte langsam! - O.K., _______ sprech___ langsam.

IV. 알맞은 정관사 및 부정관사는?

1. Bruder	2. Schwester	3. Sohn	4. Tochter	5. Student
6. Kind	7. Tür	8. Stuhl	9. Buch	10. Zimmer
11. Wohnung	12. Arbeiter	13. Tomate	14. Brötchen	15. Apfel

【7】 Die Wohnung ist groß, aber sie ist nicht teuer.

<해석> 그 집은 크다. 그러나 (그것은) 비싸지 않다.

- ► 형태가 *-ung* 인 명사는 *여성*임 : *die* Wohnung '주택, 아파트' ← wohnen '살다'
- ► 동사 sein은 영어의 be 동사처럼 *형용사 보어*와 결합하여 "...이다"로 해석됨.
  예문에서 형용사 groß('큰'), teuer('비싼')는 동사 ist의 형용사 보어임 : ... *ist* groß , aber ... *ist* nicht teuer.
- ► Die Wohnung은 *여성*명사이므로 *여성* 인칭대명사 *sie*로 받음 : Die Wohnung ist ..., aber *sie* ist ...

【8】 Der Stuhl hier ist schön und praktisch. Was kostet er? - Er kostet nur fünf Euro.

<해석> 여기 이 의자는 예쁘고 실용적이군요. (이 의자는) 얼마입니까? - (그것은) 단지 5유로입니다.

- ► 동사 kosten('가격이 ...이다')은 의문사 *was* 혹은 *wie viel* ('얼마나 많은?' 영. How much?)과 결합함 :
  Was (혹은 *Wie viel*) kostet das? '그것은 가격이 얼마인가?' - Das kostet ... '그것은 가격이 ...이다.'
- ► 앞에 나온 *남성* 명사 Der Stuhl을 받으므로 *남성* 인칭대명사 *er* 가 옴 : Der Stuhl hier ... Was kostet *er* ?
- ► 수사 : null 0 , eins 1 , zwei 2 , drei 3 , vier 4 , fünf 5

【9】 Wie ist das Buch? - Es ist sehr interessant.

<해석> 그 책 어때? - (그것은) 매우 재미있어.

- ► 의문사 *wie* ('어떻게?' 영. how?)는 문장 맨 앞에 위치함.
- ► 앞에 나온 *중성*명사 das Buch를 받으므로 *중성* 인칭대명사 *es* 가 사용됨 : Wie ist das Buch? - *Es* ist ...

【10】 Wann kommen die Leute? - Sie kommen nächste Woche.

<해석> 언제 그 사람들이 오니? - (그들은) 다음 주에 와.

- ► *복수*명사의 *정관사*는 *die* 임. (복수명사는 부정관사 ein- 과 함께 올 수 없음!)
  예문에서 Leute('사람들' 영. people)는 *복수*명사이므로 복수 정관사 *die* 가 앞에 옴 : ... *die* Leute?
  <참고> 항상 *복수*인 명사 : die Leute 사람들, die Ferien 휴가, die Eltern 부모, die Geschwister 형제, 남매
- ► *복수*명사 die Leute를 받으므로 *복수* 인칭대명사 *sie* ('그들')가 옴 : ... komm*en* die Leute? - *Sie* kommen ...
  (복수의 sie('그들')가 주어로서 문장 맨 앞에 오므로 Sie로 대문자 표기함!)
- ► 부사어 nächste Woche '다음 주에' ← 형용사 nächst- '다음의' + die Woche '주, 주일'

【11】 Kommt Peter heute nicht? - Doch, er kommt heute.

<해석> 페터는 오늘 오지 않니? - 아니, (그는) 오늘 와.

- ► *부정* 질문에 긍정으로 답할 때 *doch* ('아니오, 천만에') : Kommt Peter heute *nicht* ? - Doch , er kommt ...
  부정 질문에 부정으로 답할 때 *nein* ('예') : Kommt Peter heute *nicht* ? - Nein , er kommt heute *nicht*.
  ※ 따라서 *부정* 질문에 답할 경우 *ja*는 사용될 수 없음!

【12】 Was ist das? - Das ist ein Handy.

<해석> 이것이 무엇이냐? - (그것은) 핸드폰이야.

- ► 지시대명사 *das* '이것, 저것, 그것' : 「Das ist ...」 '이것 (저것, 그것)은 ...이다'
  ※ das는 명사의 성, 수에 관계없이 사용될 수 있음 : Das ist ein Handy (ein Mann, eine Frau).

심화 문제

I. 밑줄 친 곳에 알맞은 인칭대명사는?

1. Das Buch ist dick, aber _______ ist nicht teuer.
2. Der Koffer ist groß, aber _______ ist nicht schwer.
3. Herr und Frau Schmidt sind reich, aber _______ sind sparsam.
4. Peter und ich kommen aus Deutschland. _______ studieren jetzt in England.
5. Frau Kim ist schön. _______ ist groß und schlank.
6. Bist _______ Maria? - Ja, _______ bin Maria.
7. Wie sind die Leute? Sind _______ nett? - Ja, _______ sind sehr nett.
8. Sind _______ Frau Zimmermann? - Nein, _______ bin Frau Müller.

II. 밑줄 친 곳에 알맞은 부정관사는?

1. Da kommt ______ Zug. Kommt er aus Köln? - Nein, er kommt nicht aus Köln.
2. Hier ist ______ Zeitung. - Vielen Dank, aber ich lese sie später.
3. Hier ist ______ Beispiel. - Das Beispiel verstehe ich nicht.
4. Kennst du Hamburg? - Ja, das ist ______ Stadt in Deutschland. Sie ist sehr schön.
5. Herr Kunze, was ist das? - Das hier? Das ist ______ Tomate.

III. 밑줄 친 곳에 알맞은 정관사는?

1. Wann beginnen ______ Ferien? - Sie beginnen nächste Woche.
2. ______ Großeltern sind schon alt, aber sie sind noch sehr gesund.
3. Ist das ______ Bahnhof? - Nein, das ist die Post.
4. Was kostet ______ Blume hier? - Sie kostet zwei Euro.
5. Wie ist ______ Buch hier? - Es ist spannend.

IV. 정관사와 부정관사 중 적합한 것은?

1. Wie heißt ______ Hauptstadt von Deutschland?
2. Der Rhein ist ______ Fluss.
3. Ist ______ Salat frisch?
4. Hier wohnt ein Mann. ______ Mann ist alt.
5. ______ Winter in Korea ist immer kalt.

마무리 문제

I. 괄호 안의 낱말을 사용하여 독일어로 옮기시오.

1. 이것은 무엇입니까? - 그것은 가방입니다.
   (das, was, sein) (das, ein-, Koffer, sein)

   ____

2. 그 영화는 어떻습니까? - 그것은 재미있습니다.
   (d-, Film, wie, sein) (er, interessant, sein)

   ____

3. 부모님께서는 언제 오십니까? - 그들은 다음 주에 오십니다.
   (d-, Eltern, wann, kommen) (sie, nächste Woche, kommen)

   ____

4. 여기 이 의자는 얼마입니까? - 그것은 비싸지 않습니다. 20 유로입니다.
   (hier, d-, Stuhl, was, kosten) (er, nicht, teuer, sein) (kosten, er, 20 Euro)

   ____

5. 이것은 셔츠입니까? - 아니오, 그것은 블라우스입니다.
   (das, ein-, Hemd, sein) (nein, das, ein-, Bluse, sein)

   ____

II. 잘못된 부분(들)을 고쳐서 다시 적으시오.

1. Das ist eine Buch. Sie ist sehr interessant.

   ____

2. Arbeitst du auch am Samstag? - Nein, am Samstag ich arbeite nicht.

   ____

3. Wann beginnt die Ferien? - Sie beginnt nächste Woche.

   ____

4. Kommt das Kind heute nicht? - Ja, er kommt heute.

   ____

5. Was kostet der Stuhl? - Nur 5 Euro kosten.

   ____

6. Die Wohnung ist groß, aber ist es nicht teuer.

   ____

Lektion 3

명사의 복수 / 소유대명사 (1)

1. 명사의 *복수* 형태 : 기본적으로 8가지 유형이 있다.

- 단수형과 동일함 ⇒ der Lehrer '선생님' (*die* Lehrer)
- 단수형에 ¨ (즉, Umlaut!) ⇒ der Apfel '사과' (*die* Äpfel)
- 단수형에 *-e* ⇒ der Tag '날, 낮' (*die* Tag*e*)
- 단수형에 ¨*e* (즉, Umlaut 함께 *-e*) ⇒ der Sohn '아들' (*die* Söhn*e*)
- 단수형에 *-er* ⇒ das Kind '아이' (*die* Kind*er*)
- 단수형에 ¨*er* (즉, Umlaut 함께 *-er*) ⇒ der Mann '남자, 남편' (*die* Männ*er*)
- 단수형에 *-n* ⇒ die Blume '꽃' (*die* Blume*n*)
- 단수형에 *-en* ⇒ die Frau '여자, 부인' (*die* Frau*en*)

기타 : das Auto '자동차' (*die* Auto*s*) / die Firma '회사' (*die* Firm*en*) ...

2. 소유대명사 : mein- '나의' (영. my) / dein- '너의' (영. your) / sein- '그의' (영. his)

소유대명사 mein- , dein- , sein- 은 부정관사 *ein-* 과 동일한 어미변화 함!

Wer ist das? Ist das *dein* Bruder? - Nein, das ist *mein* Freund.

<해석> 이것은 누구냐? 너의 남자 형제니? - 아니, 그것은 나의 친구야.

► 명사 Bruder('남자 형제')는 *남성*이므로 부정관사는 ein_ 임.
따라서 ein_ Bruder → dein_ Bruder

► 명사 Freund('친구')는 *남성*이므로 부정관사는 ein_ 임.
따라서 ein_ Freund → mein_ Freund

Wo wohnt *deine* Schwester? - *Meine* Schwester wohnt in München.

<해석> 너의 누이는 어디에 살고 있니? - 나의 누이는 뮌헨에서 살고 있어.

► 명사 Schwester('누이')는 *여성*이므로 부정관사는 ein*e* 임.
따라서 ein*e* Schwester → dein*e* Schwester

► 동일한 근거로 뒤 문장의 주어의 경우 ein*e* Schwester → Mein*e* Schwester

※ 뒤에 *복수*명사가 올 경우는 *복수 정관사 d-* 와 동일한 어미변화 함!

Sind das *deine* Eltern? - Nein, das sind *meine* Großeltern.

<해석> 이것은 너의 부모님이야? - 아니, 그것은 나의 조부모님이야.

► 명사 Eltern('부모') 및 Großeltern('조부모')는 *복수*명사임.
따라서 dein- 및 mein- 은 부정관사 ein- 어미변화 할 수 없으므로,
복수 정관사 di*e* 어미변화 함!
즉, di*e* Eltern → dein*e* Eltern / di*e* Großeltern → mein*e* Großeltern

기초 문제

I. <보기>처럼 숫자 표현 및 복수형을 기술하시오.

<보기> 2 / Stuhl : zwei Stühle

1. 3 / Ei
2. 4 / Stunde
3. 5 / Apfel
4. 2 / Zimmer
5. 3 / Tochter
6. 4 / Buch

II. 밑줄 친 곳에 알맞은 어미는?

1. Woher kommt dein___ Freund? Kommt er auch aus Deutschland?
2. Mein___ Wohnung ist groß, aber sie ist nicht teuer.
3. Arbeitet sein___ Bruder viel? - Nein, er arbeitet nicht viel.
4. Wann kommt dein___ Tochter? - Sie kommt am Montag.
5. Ist das dein___ Zimmer? - Ja, das ist mein___ Zimmer.
6. Sind das dein___ Bücher? - Nein, das sind nicht mein___ Bücher.
7. Spielen dein___ Kinder auch oft Computerspiele? - Ja, mein___ Kinder spielen auch oft Computerspiele.

III. 주어진 명사의 성을 파악하여 <보기>처럼 기술하시오.

<보기> Wohnung: Ist das dein*e* *Wohnung*? - Nein, das ist nicht mein*e* *Wohnung*. Das ist sein*e* *Wohnung*.

1. Kind
2. Blume
3. Auto
4. Computer
5. Haus
6. Mutter
7. Vater
8. Freund

IV. 주어진 명사의 복수형을 파악하여 <보기>처럼 기술하시오.

<보기> Foto: Sind das dein*e* *Fotos*? - Nein, das sind nicht mein*e* *Fotos*. Das sind sein*e* *Fotos*.

1. Auto
2. Tochter
3. Sohn
4. Wohnung
5. Bild
6. Schüler
7. Freund
8. Blume

【13】 Das sind meine Kinder. Das ist mein Sohn Jonas und das ist meine Tochter Sandra.

<해석> 이것은 나의 아이들이다. 이것은 나의 아들 요나스이고, 이것은 나의 딸 산드라이다.

- 「Das *ist* + *단수*명사」 '이것 (저것, 그것)은 ...이다' : Das *ist* mein Kind. '이것은 내 아이이다.'
  「Das *sind* + *복수*명사」 '이것 (저것, 그것)은 ...들이다' : Das *sind* meine Kind*er*. '이것은 내 아이들이다.'

【14】 Was ist das? Ist das eine Tomate? - Nein, das ist keine Tomate. Das ist ein Apfel.

<해석> 이것은 무엇인가? (그것은) 토마토인가? - 아니, 그것은 토마토가 아니다. 그것은 사과이다.

- 명사를 부정하는 *kein-* 역시 소유대명사처럼 *부정관사 ein-* 어미변화 함. (*복수*의 경우 *정관사 d-* 어미변화!) : 명사 Tomate('토마토')는 *여성*이므로 부정관사는 ein*e* 임. 따라서 ein*e* Tomate → kein*e* Tomate

【15】 Warum kommst du allein? Wo sind deine Frau und deine Kinder? - Sie sind zu Haus. Sie sind erkältet.

<해석> 너는 왜 혼자 오니? 네 부인과 아이들은 어디에 있어? - (그들은) 집에 있어. 그들은 감기 걸렸어.

- 동사 sein (영. be 동사) :
  ① (*형용사* 혹은 *명사 보어*와 함께) '...이다'
  Sie *sind* jung. '그들은 젊다.' (형용사 보어 jung '젊은') ;
  Er *ist* Lehrer. '그는 선생님이다.' (명사 보어 Lehrer '선생님')
  ② '있다, 존재하다': Sie *ist* in Amerika. '그녀는 미국에 있다.'
- zu Haus(e) '집에, 집에서' / nach Haus(e) '집으로' / von zu Haus(e) '집으로부터'

【16】 Wie ist das Wetter morgen? - Es ist morgen schön und warm.

<해석> 날씨가 내일 어떻지? - 내일은 날씨가 맑고 따뜻해.

- 의문사 wie '어떻게?' (영. how?)
- '날씨'를 표현할 경우 항상 비인칭 주어 *es*가 사용됨: Es ist ... (영. It is ...)

【17】 Wie alt ist dein Sohn? - Er ist fünf Jahre alt.

<해석> 네 아들은 몇 살이니? - (그는) 5 살이야.

- 의문사 wie('어떻게?' 영. how?)는 형용사와 결합하여 '상태'를 묻는 의문사가 됨 :
  의문사 wie '어떻게?' + 형용사 alt '늙은' → wie alt '얼마나 늙은?' (영. How old?)
- das Jahr '해, 년' (die Jahr*e*) / der Monat '달, 개월' (die Monat*e*) / der Tag '날, 낮' (die Tag*e*)

【18】 Wie viele Gäste kommen heute? - Heute kommen acht Gäste.

<해석> 오늘 손님이 몇 사람이나 오지? - 오늘은 손님이 8명 와.

- 의문사 wie '어떻게?' + viele '많은' → wie viele '얼마나 많은?' (영. How many?)
  ※ 「wie viel*e* +*복수*명사」 '얼마나 많은 ...?' : Wie viel*e* Gäst*e* '얼마나 많은 손님들?'
- 수사 : sechs 6 , sieben 7 , acht 8 , neun 9 , zehn 10

심화 문제

I. 밑줄 친 곳에 알맞은 소유대명사는?

1. Wo wohnen deine Brüder? - __________ Brüder wohnen in Bremen.
2. Warum kommt er allein? Wo ist __________ Freundin? - Sie ist krank.
3. Wo ist __________ Schlüssel? - Dein Schlüssel? Hier ist er.
4. Peter kommt nach Hause. Er macht sofort __________ Hausaufgaben.
5. Wie alt sind seine Kinder? - ______ Tochter ist 9 Jahre alt und ______ Sohn 7.
6. Wann kommen __________ Mann und __________ Kinder? - Sie kommen am Samstag.

II. 제시된 경우와 동일한 복수 형태를 지니는 명사를 <보기>에서 선택하시오.

1. ein Lehrer - viele Lehrer : ______________________________
2. ein Vater - fünf Väter : ______________________________
3. ein Tag - neun Tage : ______________________________
4. ein Baum - acht Bäume : ______________________________
5. ein Bild - vier Bilder : ______________________________
6. ein Haus - sieben Häuser : ______________________________
7. eine Brille - zwei Brillen : ______________________________
8. eine Wohnung - drei Wohnungen : ______________________________
9. ein Baby - sechs Babys : ______________________________

<보기> der Vogel, das Kind, das Buch, das Büro, die Straße, der Film, der Apfel, die Kartoffel, das Jahr, das Zimmer, die Frau, das Foto, die Stadt, die Regel, der See, die Nudel, der Zug, das Hotel, die Hand, das Land, der Berg, der Wald, der Ball, die Schwester, das Mädchen, die Suppe, der Affe, der Mensch, die Übung

III. 알맞은 의문사는?

1. ________ ist deine Adresse? - 40237 Düsseldorf, Marktstraße 1.
2. Kennst du Katharina Mai? - Nein, ________ ist das?
3. ________ spät ist es jetzt? - Es ist schon 9 Uhr.
4. ________ kommt mit? - Wir kommen mit.
5. ________ ist das Wetter jetzt in Korea? - Es ist sehr schön.
6. ________ macht dein Sohn? - Er studiert Jura in Frankfurt.
7. ________ heißt du? - Ich heiße Stefan Klug. Und du?

마무리 문제

I. 괄호 안의 낱말을 사용하여 독일어로 옮기시오.

1. 이 사람은 누구입니까? - 제 오빠입니다.
   (das, wer, sein) (das, mein-, Bruder, sein)

   ____

2. 왜 혼자 오니? 너의 부모님께서는 어디 계시니?
   (warum, allein, kommen) (dein-, Eltern, wo, sein)

   ____

3. 네 아들은 몇 살이니? - 12살이야.
   (dein-, wie alt, Sohn, sein) (alt, Jahre, zwölf, sein)

   ____

4. 너는 벌써 얼마 동안 대학에서 공부하고 있니? - 3년 동안.
   (schon, wie lange, studieren) (Jahre, drei)

   ____

5. 이것은 몇 송이의 장미입니까? - 8송이의 장미입니다.
   (das, Rose, wie viele, sein) (das, Rose, acht, sein)

   ____

II. 잘못된 부분(들)을 고쳐서 다시 적으시오.

1. Das sind zwei Buch.

   ____

2. Wie viele Gast kommen heute?

   ____

3. Ich lerne schon sechs Monat Deutsch.

   ____

4. Hier sind zehn Computers.

   ____

5. Das ist meiner Freund. Und das sind seine Familie.

   ____

6. Ist das deine Eltern? - Nein, das ist mein Onkel und meine Tante.

   ____

Lektion 4

소유대명사 (2) / 분리동사

1. 소유대명사

ich ⇒ mein- '나의' (영. my)	wir ⇒ unser- '우리의' (영. our)
du ⇒ dein- '너의' (영. your)	ihr ⇒ euer (eur-) '너희의' (영. your)
er, es ⇒ sein- '그의, 그것의' (영. his, its)	sie ⇒ ihr- '그들의' (영. their)
sie ⇒ ihr- '그녀의' (영. her)	Sie ⇒ Ihr- '당신의, 당신들의' (영. your)

Herr Müller, wie heißt Ihre Schwester? - Sie heißt Claudia.

<해석> 뮐러씨, 당신의 누이는 이름이 어떻게 됩니까? - 그녀는 이름이 클라우디아입니다.

- 명사 Schwester('누이')는 *여성*임.
  따라서 eine Schwester → Ihre Schwester '당신의 누이'

Das ist mein Bruder Jens. Und das ist unser Hund.

<해석> 이 사람은 나의 형 옌스야. 그리고 이것은 우리의 개야.

- 명사 Bruder('남자 형제')는 *남성*임. 따라서 ein_ Bruder → mein_ Bruder '나의 형'
- 명사 Hund('개')는 *남성*임. 따라서 ein_ Hund → unser_ Hund '우리의 개'

Das sind mein Freund Peter und seine Eltern.

<해석> 이것은 나의 친구 페터와 그의 부모님이야.

- 명사 Freund('친구')는 *남성*임. 따라서 ein_ Freund → mein_Freund '나의 친구'
- 명사 Eltern('부모')은 *복수*임.
  따라서 소유대명사 sein- 은 *부정관사*가 아닌 *정관사* *d-* 어미변화 함!
  즉, *복수 정관사* die Eltern → seine Eltern '그의 부모님'

2. 분리동사 : 접두어, 즉 "분리전철"이 있는 동사!
(문장 안에서 분리전철은 문장 맨 뒤에 옴!)

분리동사 *an*kommen('도착하다') ⇒ 분리전철 *an-* ('옆에') + 동사 kommen('오다')

Wann kommt der Zug aus Köln *an*? - Er kommt um 5 Uhr *an*.

<해석> 쾰른으로부터 오는 기차가 언제 도착하니? - 그것은 5 시에 도착해.

- 분리동사 *an*kommen('도착하다')의 분리전철 *an-* 이 분리되어 문장 맨 뒤에 위치함 :
  ... kommt ... *an*

분리동사 *auf*stehen('일어나다') ⇒ 분리전철 *auf-* ('위에') + 동사 stehen('서있다')

Am Sonntag steht er spät *auf*.

<해석> 일요일에 그는 늦게 일어난다.

- 분리동사 *auf*stehen('일어나다')의 분리전철 *auf-* 가 분리되어 문장 맨 뒤에 위치함 :
  ... steht ... *auf*

기초 문제

I. 다음 우리말에 해당하는 독일어 표현은?

'나의' ________ / '너의' ________ / '우리의' ________ / '당신의' ________

'그의' ________ / '그것의' ________ / '그녀의' ________ / '그들의' ________

II. 다음 동사의 알맞은 형태는?

1. sein : ich _____ / du _____ / er _____ / wir _____ / ihr _____ / sie, Sie _____
2. heißen : ich _____ / du _____ / er _____ / wir _____ / ihr _____ / sie, Sie _____
3. *an*kommen : ich _____ / du _____ / er _____ / wir _____ / ihr _____ / sie, Sie _____
4. *ein*kaufen : ich _____ / du _____ / er _____ / wir _____ / ihr _____ / sie, Sie _____
5. *auf*stehen : ich _____ / du _____ / er _____ / wir _____ / ihr _____ / sie, Sie _____
6. *zu*hören : ich _____ / du _____ / er _____ / wir _____ / ihr _____ / sie, Sie _____

III. 알맞은 어미는?

1. Das ist mein___ Schwester. - Wie ist denn ihr___ Name?
2. Mein___ Freundin heißt Irene. Ihr___ Mutter ist Amerikanerin.
3. Das sind Monika und Susi. Da drüben stehen ihr___ Eltern.
4. Wie ist Ihr___ Name? - Mein___ Name ist Peter Bauer.
5. Herr und Frau Müller, wo sind Ihr___ Koffer?
6. Ist das ein Koffer? - Nein, das ist kein___ Koffer. Das ist eine Tasche.
7. Das sind Herr und Frau Schmidt. Und das ist ihr___ Kind.

IV. 알맞은 분리전철은?

<보기> an, auf, ein, weg, wieder (반복 사용 가능!)

1. Am Montag kommt er ______ und zieht ______.
2. Am Dienstag wacht er früh ______ und kauft viel ______.
3. Am Mittwoch kocht er viel. Dann ist er müde und macht das Fernsehgerät ______.
4. Am Donnerstag räumt er ______ und trinkt viel.
5. Am Freitag steht er spät ______ und packt alles ______.
6. Am Samstag geht er endlich ______.
7. Am Sonntag ruft er schon wieder ______ und kommt ______.

【19】 Tut mir Leid! Herr Schneider ist nicht da. Rufen Sie bitte später noch einmal an!

<해석> 유감이군요! 슈나이더씨는 안 계십니다. 나중에 다시 한번 전화하세요.

- ► 관용적 표현 : Tut mir Leid! "유감입니다!" (영. I am sorry)
- ► 부사어 noch '아직' + 부사어 einmal '한번' → noch einmal '한번 더', '다시 한번' (영. once more)
- ► 「동사 sein ... da」 '있다, 출석하다' : A ist da. 'A가 있다.' / A ist nicht da. 'A가 없다.'
- ► 분리동사 *an*rufen '...에게 전화하다' → 분리전철 *an*- '옆에' + 동사 rufen '부르다' : Rufen Sie ... *an*! (Sie-명령문임! 분리전철 *an*- 이 분리되어 문장 맨 뒤에 옴.)

【20】 Wie alt bist du? Bist du schon achtzehn? - Nein, ich bin noch siebzehn Jahre alt.

<해석> 너는 몇 살이니? (너는) 벌써 18살이니? - 아니, 나는 아직 17살이야.

- ► 수사 : elf 11 , zwölf 12 , drei*zehn* 13 , vier*zehn* 14 , fünf*zehn* 15 , *sechzehn* 16 (*sechs*zehn 아님!) , *siebzehn* 17 (즉, *sieben*zehn 아님!) , acht*zehn* 18 , neun*zehn* 19
- ► 부사어 schon '이미' ↔ 부사어 noch '아직'

【21】 Warum kommt Wolfgang immer zu spät? Es ist schon halb zehn, und er ist immer noch nicht hier.

<해석> 왜 볼프강은 항상 늦게 오지? (시간이) 벌써 9시 반인데, 그는 아직도 안 왔군.

- ► 「zu + 형용사 (부사)」 '너무 ...한, 너무 ...하게' (영. 「too + 형용사」) : zu spät '너무 늦은'
- ► '시각'을 표현할 경우 비인칭 주어 *es* 가 사용됨 : *Es* ist ... Uhr '(시각이) ...시이다' (영. It is ... o'clock) 시각 표현 : halb zehn '9시 반' / halb sechs '5시 반' (← 형용사 halb '반의, 1/2의')

【22】 Dieser Mann ist sehr reich, trotzdem ist er nicht glücklich.

<해석> 이 남자는 매우 부유하다. 그럼에도 불구하고 (그는) 행복하지 않다.

- ► 지시대명사 dies- '이 ...' (영. this)는 *정관사 d-* 어미변화 함 : 남성 d*er* Mann → dies*er* Mann '이 남자'
  <참고> jen- '저 ...' (영. that) 역시 *정관사 d-* 어미변화 함 : 여성 di*e* Frau → jen*e* Frau '저 여자'

【23】 Woher kommt ihr? - Wir kommen aus Frankreich.

<해석> 너희들은 어디에서 왔니? - (우리는) 프랑스에서 왔어.

- ► 「kommen aus ...」 '... 출신이다' : Er *kommt aus* Japan. = Er *ist aus* Japan. '그는 일본 출신이다.'
  <참고> 국가 명 : Frankreich 프랑스 / Spanien 스페인 / Italien 이탈리아 / Russland 러시아 / China 중국

【24】 Wer seid ihr? Was macht ihr hier? Und wo sind eure Eltern?

<해석> 너희는 누구니? 너희는 여기서 무엇을 하니? 그리고 너희의 부모님은 어디에 계시니?

- ► 명사 Eltern('부모')은 *복수*이므로 소유대명사 eur-('너희의')는 *부정관사*가 아니라 *정관사 d-* 어미변화 함 : 복수의 di*e* Eltern → eur*e* Eltern '너희의 부모'
  ※ 소유대명사 euer-('너희의') 뒤에 어미가 올 경우 *eur*이다. (즉 euer- 아님!): eur*e* Mutter, eur*e* Eltern (즉, euer*e* ... 아님!), 그러나 어미가 없을 경우는 *euer_* Vater, *euer_* Kind

심화 문제

I. 밑줄 친 곳에 알맞은 어미는?

1. Wo ist Ihr___ Schwester? Ist sie noch hier? - Nein, sie ist jetzt in Deutschland.
2. Ist das nicht dein___ Zimmer? - Doch, das ist mein___ Zimmer.
3. Das sind mein___ Schüler. Ich bin ihr___ Lehrer.
4. Was ist das? Ist das ein__ Kino? - Nein, das ist kein__ Kino. Das ist ein__ Theater.

II. 밑줄 친 곳에 알맞은 소유대명사는?

1. Das sind Herr und Frau Schulz und das ist ______ Sohn.
2. Guten Abend, Herr Scholz! Sind Sie allein? Ist ______ Frau nicht da?
3. Warum bist du traurig? - ______ Hund ist tot.
4. Wer ist eure Lehrerin? - Frau Müller ist ______ Lehrerin.
5. Claudia ist Hausfrau. ______ Kinder sind noch klein.
6. Ist das ______ Wohnung? - Nein, das ist nicht unsere Wohnung.

III. 알맞은 sein 동사의 형태는?

1. Wo ________ du geboren? - Ich ________ in Seoul geboren.
2. Frau Möller ________ Hausfrau. Jeden Tag macht sie die Zimmer sauber.
3. ________ Sie Lehrerin? - Nein, ich ________ Studentin. Ich studiere Jura.
4. Das ________ Bruno und Peter. Sie ________ meine Freunde.
5. Wir ________ Schüler. Wir lernen fleißig Deutsch.
6. Süßigkeiten ________ nicht gesund für die Kinder.
7. Es ________ zu dunkel. Wo ________ das Licht?
8. ________ das Essen schon fertig? - Nein, es ________ noch nicht fertig.
9. Wie spät ________ es jetzt? - Es ________ jetzt sieben Uhr.

IV. 제시된 분리동사를 사용하며 빈칸을 채우시오.

1. *auf*räumen : Heute ____________ ich ______.
2. *an*kommen : Die Reisegruppe ____________ morgen ______.
3. *ein*kaufen : Wo ____________ du ______?
4. *zu*hören : Er ____________ nie ______.
5. *an*rufen : Warum ____________ Anne nicht ______?
6. *los*gehen : Ich ____________ gleich ______.
7. *mit*kommen : ____________ Sie ______?

마무리 문제

I. 괄호 안의 낱말을 사용하여 독일어 옮기시오.

1. 네 여자 친구는 몇 살이니? - 그녀는 벌써 19살이야.

   (dein-, wie, Freundin, alt, sein) (sie, neunzehn, schon, sein)

   ____

2. 이 남자가 그의 아버지냐?

   (dies-, sein-, Mann, Vater, sein)

   ____

3. 이 여자 분은 Claudia의 어머님이시고, 이 사람은 그녀의 여동생이다.

   (dies-, Frau, Claudia, Mutter, sein, und, das, Schwester, ihr-, sein)

   ____

4. 여기 우리 주소가 있습니다. - 전화번호는 어떻게 됩니까?

   (Adresse, hier, unser-, sein) (Telefonnummer, Ihr-, wie, sein)

   ____

5. 토요일에는 나는 늦게 일어난다.

   (am Samstag, ich, spät, aufstehen)

   ____

6. 나중에 한 번 더 전화하세요.

   (noch einmal, später, anrufen)

   ____

II. 잘못된 부분(들)을 고쳐서 다시 적으시오.

1. Claudia ist eine Hausfrau. Seine Kinder sind noch klein.

   ____

2. Hier ist mein Adresse. - Und was ist ihre Telefonnummer?

   ____

3. Wann ankommt er? - Er ankommt um 5 Uhr.

   ____

4. Kommt ihr aus der Amerika? - Nein, wir sind kein Amerikaner. Wir sind Schweizer.

   ____

5. Dies Herr ist unser Sportlehrer und dies Dame ist unser Musiklehrerin.

   ____

Lektion 5

명사의 4격 / haben 동사

1. 명사의 *4격* (= "목적격" : '*~을, ~를*')

(1) *4격* 명사의 정관사, 부정관사, 소유대명사의 형태

		정관사 d-	부정관사 ein- (소유대명사 mein- , dein- ...)
남성 명사 4격	⇒	d*en* Mann	ein*en* (mein*en* , dein*en* ...) Mann
여성 명사 4격	⇒	di*e* Frau	ein*e* (mein*e* , dein*e* ...) Frau
중성 명사 4격	⇒	das Kind	ein_ (mein_ , dein_ ...) Kind
복수 명사 4격	⇒	di*e* Kind*er*	부정관사 없음! (mein*e* , dein*e* ...) Kind*er*

(2) *4격* 명사의 두 가지 용법: ① *타동사*의 목적어 ; ② *4격 전치사*의 목적어

Ich kaufe *ein Buch.*

<해석> 나는 책을 한 권 산다.

► 명사 Buch('책')은 *중성*이며, 타동사 kaufen('...을 사다')의 *4격* 목적어이므로 *중성 4격*임!.
따라서 *중성 4격* 부정관사 ein_ 과 결합 : ... ein Buch.

Ich esse *einen Apfel.*

<해석> 나는 사과를 하나 먹는다.

► 명사 Apfel('사과')은 *남성*이며, 타동사 essen('...을 먹다')의 *4격* 목적어이므로 *남성 4격*임!
따라서 *남성 4격* 부정관사 ein*en* 과 결합 : ... ein*en* Apfel.

Ich rufe *meine Schwester* an.

<해석> 나는 나의 누이에게 전화 건다

► 명사 Schwester('누이')는 *여성*이며, 타동사&분리동사 「rufen ... *an*」('전화 걸다')의
4격 목적어이므로 *여성 4격*임!
따라서 소유대명사 mein-('나의')은 *여성 4격* 부정관사 ein*e* 처럼 어미변화 하여 mein*e* 임.

Ich koche jetzt für *meine Kinder.*

<해석> 나는 지금 나의 아이들을 위해 요리한다.

► 명사 Kind*er* ('아이들')는 *복수*이며, *4격 전치사* für('~을 위해')의 목적어이므로 *복수 4격*임!
따라서 소유대명사 mein-('나의')은 *복수 4격 정관사* di*e* 처럼 어미변화 하여 mein*e* Kind*er* 임.

2. 타동사 haben('...을 가지고 있다', 영. have)은 *du* 혹은 *er, sie, es*가 주어일 때 특수한 형태 변화를 한다.

ich hab*e*	wir hab*en*
du hast	ihr hab*t*
er (sie, es) hat	sie, Sie hab*en*

기초 문제

I. 다음 동사의 알맞은 형태는?

1. haben : ich ______ / du ______ / er ______ / wir ______ / ihr ______ / sie, Sie ______
2. sein: ich ______ / du ______ / er ______ / wir ______ / ihr ______ / sie, Sie ______

II. haben 동사의 알맞은 형태는?

1. ________ Sie Kinder? - Ja, ich ________ einen Sohn und eine Tochter.
2. Viele Frauen ________ heute einen Beruf.
3. Was ________ wir noch? - Wir ________ drei Eier, zwei Äpfel und vier Tomaten.
4. ________ Peter schon Kinder? - Nein, er ________ noch keine Kinder.

III. 밑줄 친 곳에 알맞은 어미는?

1. Sein___ Familie wohnt in Bremen.
2. Fritz hat einen Sohn. D___ Sohn ist jetzt 12 Jahre alt.
3. Mein___ Frau und d___ Kinder kommen auch nach Dresden.
4. Unser___ Lehrerin kommt immer pünktlich.
5. Dein___ Fragen sind manchmal zu kompliziert.
6. Eur___ Meinungen sind schon bekannt.
7. Hier sind Ihr___ Cola und Ihr___ Kuchen.
8. Wer ist das? Ist das dein___ Vater? - Nein, das ist mein___ Onkel.

IV. 밑줄 친 곳에 알맞은 어미는?

1. Wie kommst du jetzt nach Haus? - Ich nehme d___ Bus.
2. Hoffentlich bekommt er dies___ Brief schon morgen.
3. Ich suche kein___ Wohnung, ich suche nur ein___ Zimmer.
4. Ute hat ein___ Job.
5. Er schließt d___ Fenster und d___ Türen.
6. Sie liebt ihr___ Mann.
7. Heute macht sie d___ Zimmer sauber.
8. Wir lieben Kinder sehr, aber leider haben wir noch kein___ Kinder.
9. Ich besuche mein___ Großvater oft.
10. Wir suchen hier in Hamburg ein___ Wohnung.
11. Morgen machen wir ein___ Ausflug.
12. Machen Sie bitte d___ Übungen!

【25】 Hast du Geschwister? - Ja, ich habe drei Brüder und zwei Schwestern. Und du? - Ich habe nur einen Bruder.

<해석> 너는 형제가 있니? - 응, 나는 남자 형제 3명과 여자 형제 2명이 있어. 그러면 너는?
- 나는 단지 남자 형제 하나만 있어.

► die Geschwister('남녀 형제')는 항상 *복수*명사임. (단수 없음!)

【26】 Was trinken Sie? - Ich trinke eine Tasse Tee.

<해석> (당신은) 무엇을 마시겠습니까? - 저는 차 한 잔 마시겠습니다.

► 셀 수 없는 *물질*명사 : eine Tasse *Kaffee* (*Tee*) '한 잔의 커피 (차)' → *zwei* Tasse*n* ... '두 잔의 ...'
ein Glas *Wasser* (*Bier*, *Wein*) '한 컵의 물 (맥주, 포도주)' / eine Flasche *Saft* '한 병의 주스'

【27】 Wir haben drei Zimmer. Das Schlafzimmer ist groß. Auch das Kinderzimmer ist nicht schlecht. Nur das Wohnzimmer ist ziemlich klein.

<해석> 우리는 방이 세 개 있다. - 침실은 크다. 아이들 방도 나쁘지 않다. 단지 거실이 상당히 작을 뿐이다.

► 합성어(= "복합명사")의 의미는 구성 요소들의 의미의 합이며, 성과 수는 마지막 요소에 일치함 :
*복수*명사 *die* Kinder '아이들' + *중성*명사 *das* Zimmer '방' → *중성*명사 *das* Kinderzimmer '아이들 방'

【28】 Wen besuchst du heute Abend? - Ich besuche meinen Professor.

<해석> 너는 오늘 저녁에 누구를 방문하니? - (나는) 나의 교수님을 방문해.

► 의문사 *wen*('누구*를*?')은 wer('누가?')의 *4격* 형임!
예문에서 Wen은 타동사 besuchen('...을 방문하다')의 4격 목적어임.

► 부사어 heute '오늘' + der Abend '저녁' → 부사어 heute Abend '오늘 저녁에'

【29】 Ich möchte keine Übung mehr machen. Deshalb mache ich eine Pause.

<해석> 나는 더 이상 연습을 하고 싶지 않다. 그러므로 나는 휴식을 취한다.

► 「möchten ... 동사 원형」 '...하고 싶다, ...하기 원하다' (영. would like to ...) : Ich möchte ... *machen*.

► 「kein- + 명사 mehr ... 」, 「nicht mehr ... 」 '더 이상 ...않다' (영. no more)

【30】 Hast du Hunger? - Nein, ich habe keinen Hunger, aber Durst.

<해석> 너는 배 고프니? - 아니, 나는 배 고프지 않아, 하지만 갈증이 있어.

► 추상명사 Hunger('배고픔')는 부정관사 ein- 없이 사용됨 : Ich habe Hunger. '나는 배고프다.'
<참고> Durst '갈증', Zeit '시간', Geld '돈' : Ich habe (kein*en*) Durst / (kein*e*) Zeit / (kein_) Geld

【31】 Komm doch morgen Abend! Bring deine Freunde auch mit!

<해석> 내일 저녁에 와라! 너의 친구들도 함께 데려와라!

► du-명령문 : 「*동사 어간* ... ! 」 '...해라!' : Komm ... ! (← kommen) / Bring ... *mit* ! (← 분리동사 *mit*bringen)

심화 문제

I. 동사 haben 혹은 sein의 알맞은 형태는?

1. ________ du noch Geld? - Nein, ich ________ kein Geld mehr.
2. Ich ________ so müde. - Gehen Sie dann früh nach Hause!
3. ________ Sie noch einen Wunsch? - Nein, das ist alles.
4. Es ________ schon spät! Fahren wir jetzt los?
5. ________ ihr vielleicht heute Abend Zeit? - Nein, leider ________ wir keine Zeit.
6. Herr Müller, ________ Sie einen Moment Zeit? Ich ________ eine Frage.

II. 밑줄 친 곳에 알맞은 소유대명사를 적으시오?

1. Herzlichen Dank für ________ Brief!
2. Stefan macht im August ________ Examen.
3. Frau Schneider, bringen Sie bitte ________ Kinder mit! Ich kenne sie noch nicht.
4. Petra, grüß bitte ________ Mann von mir!
5. Ist das Annas Tasche? - Nein, das ist nicht ________ Tasche.

III. 밑줄 친 곳에 kein-의 알맞은 형태를 적으시오.

1. Trinkt er immer noch gern Bier? - Nein, er trinkt ________ Bier mehr.
2. Er hat Glück, aber ich habe ________ Glück.
3. Er hat jetzt ________ Frau und ________ Job mehr.
4. Haben Sie Hunger? - Nein, ich habe noch ________ Hunger.
5. Hast du ________ Zeit? - Doch, ich habe viel Zeit.
6. Habt ihr noch Fragen dazu? - Nein, wir haben ________ Fragen mehr.

IV. 알맞은 의문대명사를 적으시오.

1. __________ ist die Frau da drüben? - Das ist Ansgars Tante.
2. __________ ist das hier? - Das ist ein Fahrrad.
3. __________ rufst du an? - Ich rufe meinen Sportlehrer an.
4. Für __________ sind die Blumen? - Sie sind für meine Frau.
5. __________ trinken Sie, bitte? - Ein Glas Bier, bitte.
6. Hallo Laura, __________ machst du hier? - Ich habe Hunger und suche gerade ein Restaurant.

마무리 문제

I. 괄호 안의 낱말을 사용하여 독일어로 옮기시오.

1. 이 편지가 언제 한국에 도착합니까?

   (dies-, wann, Brief, in Korea, *an*kommen)

   ____

2. 우리는 토요일에 소풍을 간다.

   (wir, Ausflug, am Samstag, ein-, machen)

   ____

3. 무엇을 마시겠습니까? 와인 한 잔 마시겠습니까?

   (was, trinken) (Wein, ein Glas, trinken)

   ____

4. 오늘 저녁에 누구를 방문하십니까? - 내 여자 친구를 방문합니다.

   (heute Abend, wen, besuchen) (Freundin, mein-, besuchen)

   ____

5. 당신은 아이들이 있습니까? - 아니오 저는 아이들이 없어요.

   (Kinder, haben) (nein, kein-, Kinder, haben)

   ____

II. 잘못된 부분(들)을 고쳐서 다시 적으시오.

1. Habst du eine Frage? - Ja, Ich habe eine Frage.

   ____

2. Unser Lehrerin kauft oft Blumen für ihr Mann.

   ____

3. Morgens esse ich ein Apfel und ein Glas Milch.

   ____

4. Wer rufst du an? - Ich rufe meinen Eltern an.

   ____

5. Hast du ein Geschwister? - Ja, ich habe zwei Bruder.

   ____

6. Morgen besuche ich mein Bruder in Frankreich.

   ____

7. Habt er nicht Geld mehr? - Nein, er habt noch viel Geld.

   ____

Lektion 6

인칭대명사 4격 / 형용사 어미변화 (1)

1. 인칭대명사 *4격*

ich ⇒ mich '나를' (영. me)
du ⇒ dich '너를' (영. you)
er ⇒ ihn '그를' (영. him)
es ⇒ es '그것을' (영. it)
sie ⇒ sie '그녀를' (영. her)
wir ⇒ uns '우리를' (영. us)
ihr ⇒ euch '너희를' (영. you)
sie ⇒ sie '그들을, 그것들을' (영. them)
Sie ⇒ Sie '당신을, 당신들을' (영. you)

Ich liebe *dich*. Liebst du *mich* auch?
<해석> 나는 너를 사랑한다. 너도 나를 사랑하니?
► 인칭대명사 4격 형인 *dich* 와 *mich* 는 *타동사* lieben('사랑하다')의 *4격 목적어*임.

Er hat jetzt keine Zeit für *mich*.
<해석> 그는 지금 나를 위한 시간을 가지고 있지 않다.
► 인칭대명사 4격 형인 *mich* 는 *4격 전치사* für('~을 위해')의 목적어임.

2. 형용사 어미변화 : 형용사가 뒤에 있는 명사를 수식할 때 어미변화 한다. 어미변화 형태는 형용사 앞에 있는 관사, 소유대명사 등을 통해 판단한다.

der , die , das , ein*e* (mein*e* , dein*e* ... kein*e*) + 형용사 -*e*
ein_ (mein_ , dein_ ... kein_) + 형용사 -*er* (남성) 혹은 -*es* (중성)
d*en* , ein*en* (mein*en* , dein*en* ... kein*en*) + 형용사 -*en*
복수 의 die (mein*e* , dein*e* ... kein*e*) + 형용사 -*en*

Das gut*e* Buch ist teuer.
<해석> 좋은 책은 비싸다.
► 형용사 gut('좋은') 앞에 정관사 Das가 있음. → 따라서 *Das* gut*e* Buch

Ich suche jetzt *ein* schön*es* Geschenk für mein*en* klein*en* Sohn.
<해석> 나는 지금 나의 작은 아들을 위한 멋진 선물을 찾고 있다.
► 형용사 schön('좋은') 앞에 중성 4격 부정관사 ein_ 이 있음.
→ 따라서 ein_ schön*es* Geschenk (중성!)
► 형용사 klein('작은') 앞에 남성 4격 소유대명사 mein*en* 이 있음.
→ 따라서 für mein*en* klein*en* Sohn

Die modern*en* neu*en* Computer sind schnell.
<해석> 현대적인 새 컴퓨터들은 빠르다.
► 형용사 modern('현대적인') 및 neu('새로운') 앞에 *복수* 정관사 Di*e* 가 있음.
→ 따라서 Di*e* modern*en* neu*en* Computer

기초 문제

I. 밑줄 친 곳에 알맞은 인칭대명사는?

1. Ich suche mein Wörterbuch. Wer hat ______ ?
2. Wo sind die Kinder? Ich suche ______ überall.
3. Wir sind am Sonntag zu Hause. Bitte, besuchen Sie ______ doch!
4. Hast du heute Abend Zeit für mich? - Nein, ich habe leider keine Zeit für ______.
5. Kennst du den jungen Mann dort? - Nein, ich kenne ______ auch nicht.
6. Bringst du deine Freundin mit? - Nein, ich bringe ______ nicht mit.

II. 밑줄 친 곳에 알맞은 어미는?

1. Die gut___ alt___ Zeit kommt nicht mehr.
2. Das klein___ Kind ist süß.
3. Das ist eine gut___ Nachricht.
4. Der blau___ Pulli ist schön.
5. Der alt___ Herr geht gern spazieren.
6. Seine schön___ Augen strahlen.
7. Ich suche eine weiß___ Jacke. - Tut mir Leid! Wir haben kein___ weiß___ mehr.
8. Die frisch___ sauber___ Luft ist gut für die Gesundheit.
9. Herr Müller, das ist der neu___ Chef. - Unser neu___ Chef? - Ja, seit gestern haben wir einen neu___ Chef.
10. Kennen Sie die Kinder? - Ja, das klein___, blond___ Mädchen ist Gabi Ternes und das groß___, dick___ ist ihre Schwester Susi. Aber der schwarzhaarig___ Junge? Ihn kenne ich auch nicht.

III. 밑줄 친 곳에 알맞은 어미는?

1. Unser lieb___ Vater hat heute Geburtstag.
2. Er ist ein___ fleißig___ Student. - Ja, er ist wirklich ein___ intelligent___ und sympathisch___ jung___ Mann.
3. Das sind mein___ neu___ Schuhe. Wie findest du sie?
4. Das ist mein___ best___ Freund. Er ist wirklich ein___ nett___ Mann.
5. Wir haben hier ein___ sehr preiswert___ Herrenanzug. - Ist das auch ein___ gut___ Qualität?
6. Sehen Sie das groß___ Gebäude da? Das ist ein___ neu___ Theater.
7. Ich brauche unbedingt ein___ gut___ Computer für mein___ neu___ Arbeit.

【32】 Ich frage dich und du fragst mich.

<해석> 나는 너에게 질문하고, 너는 나에게 질문한다.

► 동사 fragen('~*에게* 질문하다')의 목적어는 '~을, ~를'로 해석되지 않지만 *4격* 목적어임. (= "*4격* 요구 동사")
<참고> *4격* 요구 동사 : grüßen '~*에게* 인사하다' / 분리동사 *an*rufen, 즉 「rufen ... *an*」 '~*에게* 전화 걸다'

【33】 Im Sommer besuchen uns wieder unsere alten Freunde aus Deutschland.

<해석> 여름에 우리의 오랜 친구들이 독일로부터 다시 우리를 방문한다.

► 「im + 계절」 : im Sommer 여름에 (der Frühling 봄, der Sommer 여름, der Herbst 가을, der Winter 겨울)
► 어순 규칙 : *대명사*는 다른 낱말, 즉 명사, 부사어 ... 보다 앞에 위치함!
예문의 4격 목적어 uns('우리를')는 인칭*대명사*이므로 일반 *명사*인 주어 "unsere alten Freunde"보다 앞에 옴.

【34】 Kennst du schon Herrn Müller, meinen neuen Kollegen? - Ja, ich finde ihn sehr nett.

<해석> 너는 벌써 나의 새 동료인 뮐러씨를 알고 있니? - 응, 나는 그가 아주 친절하다고 생각해.

► der Herr('...씨')는 불규칙 명사 : *주어가 아닌* 나머지 모든 경우 어미 *-n* 이 붙어 Herr*n* 임!
(여기서도 타동사 Kennst의 *4격 목적어*로서 주어가 아니므로 Herr*n* Müller 임.)
► 형태가 *-e* 인 *남성*명사 : 복수형은 *-n* 이며, 단수에서 *주어가 아닌* 나머지 모든 경우 어미 *-n* 이 붙음!
예문의 남성명사 Kolleg*e*('동료')는 Herrn Müller와 동격, 즉 단수 4격임!
따라서 주어가 아니므로 어미 *-n* 이 붙어 ... Kollege*n* 임.
<참고> 형태가 *-e* 인 *남성*명사 : der Kund*e* 고객, der Jung*e* 소년, der Franzos*e* 프랑스인, der Nam*e* 이름

【35】 Für wen ist dieser dicke Brief? Ist er für dich? - Nein, er ist für meinen Bruder.

<해석> 이 두꺼운 편지는 누구에게 온 것인가? 네게 온 것이니? - 아니 그것은 나의 남자 형제에게 온 것이야.

► 의문사 wer('누가?')의 *4격* 형인 wen('누구*를*?')이 4격 전치사 für의 목적어로 옴!
※ 의문사가 전치사와 결합할 경우, 전치사는 의문사와 함께 문장 맨 앞에 옴 : *Für* wen ist ...?
► dies*er* dick*e* Brief :
명사 Brief는 *남성*이며, *주어*이므로 지시대명사 dies-('이 ...')는 *남성 1격* 정관사 d*er* 처럼 변화하여 dies*er* 임.
따라서 형용사 dick은 앞에 d*er* 가 있을 때처럼 어미 *-e* 가 붙음 : dies*er* dick*e* Brief (← d*er* dick*e* Brief)

【36】 Wofür interessierst du dich eigentlich? - Ich interessiere mich für Kunst.

<해석> 너는 (원래) 무엇에 대해 흥미를 가지고 있니? - 나는 예술에 대해 흥미가 있어.

► 의문사 was('무엇?')가 전치사와 결합할 경우 "*wo-* + 전치사" 형태임 : für + was → Wofür '무엇을 위해?'
※ *모음*으로 시작하는 전치사의 경우 *-r-* 첨가함 : an + was → Wo*r*an (즉, Woan 아님!)
※ 의문사 wer('누구?')가 전치사와 결합할 경우는 해당되지 않음 : Für wen (즉, Wofür 아님!)
► 앞 문장의 동사 interessieren('*누구*를 흥미 갖게 만들다')의 4격 목적어인 *dich* 는 주어인 du와 동일한 인칭임!
즉, dich는 *재귀대명사*('... *자신*')임. (뒤 문장의 *mich* 역시 주어 ich와 동일한 인칭이므로 *재귀대명사*임!)
Das interessiert *mich*. '그것은 나를 흥미 갖게 만든다.' (mich는 재귀대명사가 아닌 *인칭대명사*!)
Ich interessiere *mich* ... '나는 *나 자신*을 흥미 갖게 만든다.', 즉 '나는 흥미가 있다.' (mich는 *재귀대명사*!)

심화 문제

I. 다음 밑줄 친 곳에 알맞은 인칭대명사는?

1. Mein Computer ist kaputt. Mein Bruder repariert ______.
2. Wann kommt ihr an? Ich hole ______ ab.
3. Kennst du meinen Bruder nicht? - Nein, ich kenne ______ noch nicht.
4. Ich bleibe zu Hause. Rufst du ______ morgen an?
5. Das sind Peter und Petra. Ich lade ______ für Sonntag ein.
6. Ich nehme das Buch mit. Oder brauchst du ____ noch?
7. Ich bin so unglücklich ohne ______. Wann kommst du endlich wieder zurück?

II. 밑줄 친 곳에 알맞은 어미는?

1. Dies___ lang___ Brief lese ich nicht. Er ist sehr unhöflich!
2. Wir kennen das Mädchen, aber nicht den klein___ Junge___.
3. Dies___ schön___ Musik höre ich sehr gerne. Hörst du sie auch gerne?
4. Sehen Sie unser___ billig___ Preise, zum Beispiel für dies___ schön___ Damen- und Kinderwäsche!
5. Das ist mein___ neu___ Freund. Wie findest du ihn?

III. 밑줄 친 곳에 알맞은 의문사는?

1. ______ rufst du jetzt an? - Ich rufe Herrn Müller an.
2. ______ machst du denn dieses Jahr Urlaub? - Im Herbst, wahrscheinlich im Oktober.
3. ______ kaufst du die Rosen? Für deine Freundin?
4. ______ oft besuchen Sie Ihre Eltern? - Einmal im Monat.
5. ______ wartest du jetzt? - Ich warte auf den Bus.

IV. 밑줄 친 대명사의 용법은?

1. Wann sehen wir uns wieder? - Hast du am Samstag Zeit?
2. Dieser Spielplatz ist nur für mich. - Nur für dich? Warum denn?
3. Ihre Wohnung ist sehr gemütlich. Ich fühle mich wohl.
4. Ich ärgere mich über diesen dummen Fehler.
5. Worüber freust du dich denn so? - Über das Geschenk.
6. Das Geschenk freut uns sehr.

마무리 문제

I. 괄호 안의 낱말을 사용하여 독일어로 옮기시오.

1. 너 우리 여교수님 어때? - 아주 호감이 가.
   (du, mein-, wie, Professorin, finden) (ich, sie, sehr, sympathisch, finden)

   ____

2. 나의 새 셔츠가 어디 있지? 지금 그것을 벌써 오랫동안 찾고 있는 중이야.
   (mein-, wo, Hemd, neu, sein) (ich, jetzt, lange, es, schon, suchen)

   ____

3. Meyer 씨에게 한번 물어보세요. 당신은 그를 잘 알잖아요.
   (Sie, Herr Meyer, mal, fragen) (Sie, doch, gut, ihn, kennen)

   ____

4. 그녀는 아주 부지런한 소녀입니다. - 예, 나도 그녀가 부지런한 여학생이라고 생각해요.
   (sie, ein-, fleißig, sehr, Mädchen, sein)
   (ich, ja, auch ein-, Schülerin, fleißig, für, halten)

   ____

5. 나의 새 사장님은 활동적인 젊은 남자이다.
   (neu, mein-, dynamisch, Mann, jung, Chef, sein)

   ____

II. 잘못된 부분(들)을 고쳐서 다시 적으시오.

1. Die warmen Sonne, der blauer Himmel, die weiße Wolken, das weites Meer - Oh, Ferien!

   ____

2. Ich lade ihr ein. Habt ihr am Samstag Zeit?

   ____

3. Für wer kaufst du das dickes Buch? - Für meinen Bruder.

   ____

4. Wann kommst du? Ich abhole dich gerne.

   ____

5. Was ist denn los? Über was ärgerst du dich so sehr?

   ____

6. Leider verstehen meine Eltern mich nicht immer richtig. Manchmal missverstehen sie mich.

   ____

Lektion 7

명사의 3격 / 소유대명사 3격

명사의 *3격* (= "여격" : '~*에*, ~*에게* ')

(1) 3격 명사 앞에 오는 정관사, 부정관사, 소유대명사, 지시대명사의 어미 :

남성, 중성 *-em* ; 여성 *-er* ; 복수 *-en*

*남성 · 중성*명사 3격 : d*em* , ein*em* , mein*em* ... , kein*em* , dies*em* ...
*여성*명사 3격 : d*er* , ein*er* , mein*er* , dein*er* ... , kein*er* , dies*er* ...
*복수*명사 3격 : d*en* , 부정관사 없음! , mein*en* ... kein*en* , dies*en* ...

(2) 3격 명사의 두 가지 용법

① 타동사의 *간접 목적어*

geben '~*에게* ~을 주다' (영. give) / schenken '~*에게* ~을 선물하다' (영. present)

Ich schenke *meiner* Mutter eine Uhr und *meinem* Vater eine Krawatte.

<해석> 나는 나의 어머니*에게* 시계를, 나의 아버지*에게*는 넥타이를 선물한다.

► 명사 Mutter('어머니')는 *여성*이며, 타동사 schenken('선물하다')의 간접목적어로서 *3격*임.
따라서 *여성 3격*이므로 소유대명사 mein-('나의')은 어미 *-er* 가 붙어 mein*er* 임.

► 명사 Vater('아버지')는 *남성*이며, 타동사 schenken의 간접목적어로서 *3격*임.
따라서 *남성 3격*이므로 소유대명사 mein-('나의')은 어미 *-em* 이 붙어 mein*em* 임.

※ 명사 Uhr('시계')와 Krawatte('넥타이')는 모두 *여성*이며, 타동사 schenken의
4격 목적어이므로 *여성 4격* 부정관사 ein*e* 가 앞에 옴.

② *3격 전치사*의 목적어

seit '~전부터, ~이후' (영. since) / mit '~와 함께, ~을 가지고' (영. with) ...

Seit *einem* Jahr arbeitet er bei Samsung.

<해석> 1년 전부터 그는 삼성에서 일한다.

► 명사 Jahr('해, 년')는 *중성*이며, 3격 전치사 seit('~전부터')의 목적어이므로 *3격*임.
따라서 *중성 3격*이므로 어미 *-em* 이 붙은 부정관사 ein*em* 이 앞에 옴.

기초 문제

I. 알맞은 3격 형태는?

1. Nach d___ Schule geht er noch zu sein___ Freund.
2. Vor d___ Essen machen wir einen Spaziergang.

3. Ich fahre jetzt mit mein___ Bruder zu unser___ Onkel.
4. Seit ein___ Monat ist sie nicht mehr hier.
5. Wohnt er nicht bei sein___ Tante? - Nein, er wohnt bei sein___ Freund.

II. 밑줄 친 곳에 알맞은 어미는?

1. Ich gebe mein___ Schwester ein___ Rat.
2. Was schenkst du dein___ Frau zum Hochzeitstag?
3. Ich schreibe mein___ Freund gerade ein___ Brief.
4. Tobias zeigt sein___ Kollegin d___ Haus.
5. Ich leihe mein___ Kommilitonen ein___ Computer aus.

III. 3격 혹은 4격? 알맞은 어미는?

1. Fahren Sie mit d___ Bus? - Nein, ich fahre mit d___ U-Bahn.
2. Kaufst du die Blumen für dein___ Freundin? - Ja, für sie
3. Ich schenke mein___ Vater ein Buch. Er hat heute Geburtstag.
4. Seit ein___ Monat lerne ich Deutsch. Das ist sehr interessant.
5. Hast du kein___ Durst? - Nein, ich habe kein___ Durst.
6. Der Schüler fragt d___ Lehrer und der Lehrer antwortet d___ Schüler.

IV. 밑줄 친 곳에 알맞은 어미는?

1. Sie gratuliert ihr___ Chef zum Geburstag.
2. Geben Sie bitte Herr___ Krause dies___ Brief! Der ist für ihn.
3. Kommst du mit dein___ Freund oder ohne ihn?
4. Ihr___ Wohnung ist sehr gemütlich. Ich fühle mich hier wohl.
5. Seit ein___ Woche regnet es!
6. Für wen ist dies__ dick__ Brief? Ist er für dich? - Nein, er ist für mein__ Bruder.
7. Ich fahre morgen zu mein___ Onkel nach Bremen. Er holt mich ab.
8. Hast du Hunger? - Nein, ich habe kein___ Hunger.
9. Ich schicke mein___ Freundin ein___ Geschenk. Sie hat bald Geburtstag.
10. Kümmerst du dich bitte um d___ Gäste? Ich habe jetzt keine Zeit.
11. Der Lehrer erklärt sein___ Schüler ein___ Satz.
12. Komm doch heute Abend! Bring dein___ Freunde auch mit!
13. Ich habe kein___ Geld. - Das ist kein___ Problem. Ich lade dich heute ein.
14. Tragen Sie immer ein___ grün___ Hut? - Ich trage meist ein___ schwarz___.

【37】 Ich gehe jetzt einkaufen. In einer Stunde bin ich wieder da.

<해석> 나는 지금 쇼핑하러 가. 한 시간 후에 (나는) 다시 돌아와 있을 거야.

- 「gehen ... 동사 원형」 '...하러 가다' : Er geht jetzt Fußball *spielen*. '그는 지금 축구하러 간다.'
- 「in + 시간 단위(3격)」 '~후에' : in ein*er* Stunde '한 시간 후에' (*여성 3격* 어미 *-er* 가 붙어 ein*er* 임!)

【38】 Wann gehst du spazieren? - Am Morgen vor dem Frühstück.

<해석> 너는 언제 산책하니? - 아침마다 식사 전에.

- 「am + 하루의 시간」 : am Morgen 아침에 (Vormittag 오전, Mittag 정오, Nachmittag 오후, Abend 저녁)
  ※ in der Nacht '밤에' / um Mitternacht '자정에'
- 「vor + 3격」 '~전에' : vor dem Unterricht '수업 전에' / 「nach + 3격」 '~후에' / 「bei + 3격」 '~할 때'
  <참고> bei 뒤에 남성·중성이 올 때 "bei dem"은 *beim* 으로 축약 가능 : beim Frühstück '아침식사 때'

【39】 Bleibst du heute zu Haus(e)? - Nein, ich habe einen Termin beim Arzt, aber ich gehe erst noch zur Bank.

<해석> 너 오늘 집에 머무르니? - 아니, 나는 의사와 상담 약속이 있어, 하지만 우선 은행에 갈 거야.

- 3격 전치사 bei , zu , von :
  「bei + 사람」 '*누구*에게서' (소재) : beim Arzt 의사에게서 (병원에서) / bei meinem Freund 내 친구 집에서
  「zu + 사람」 '*누구*에게로' (방향) : zum Arzt 의사에게로 (병원으로) / zu meinem Freund 내 친구에게로
  「zu + 기관」 '~으로' (방향) : zur Bank 은행으로 / zur Post 우체국으로 / zum Bahnhof 기차 역으로
  ※ 축약형 : zum = zu dem / zur = zu der / beim = bei dem / vom = von dem
- 관용적 표현 : zu Haus(e) '집에, 집에서' / nach Haus(e) '집으로' / von zu Haus(e) '집으로부터'

【40】 Hast du einen Bruder? - Nein, ich habe keinen. Aber ich habe eine Schwester. Sie lebt mit ihrem Mann und ihren vier Kindern in der Schweiz.

<해석> 너 형이 있니? - 아니, 나는 없어. 하지만 (나는) 누이가 한 명 있어. 그녀는 남편하고 4명의 아이들과 함께 스위스에서 살고 있어.

- 정관사, 부정관사, 소유대명사, 지시대명사 등의 *복수 3격* 어미는 *-en* 임 : ... ihr*en* vier Kindern ...
- *복수 3격* 명사의 형태는 항상 *-n* 임 : mit d*en* Kinder*n* '아이들과 함께' (복수형 Kind*er* 에 어미 *-n* 이 붙음!)
  Ich bringe mein*en* Freund*en* Bücher. '나는 내 친구들에게 책들을 보낸다.'

【41】 Lieber Jochen, vielen Dank für die Einladung zu deiner Party! Leider habe ich keine Zeit, denn ich fahre morgen nach Haus. Ich bleibe zwei Wochen bei meinen Eltern.

<해석> (사랑하는) 요헨에게, 너의 파티에 초대해줘서 매우 고마워. 유감이지만 나는 시간이 없어, 왜냐하면 (내가) 내일 집으로 가기 때문이야. (나는) 2주 동안 (나의) 부모님 집에 머무를 거야.

- 개인적인 편지의 서두 : Lieb*er* ... '사랑하는 ...에게' (남자) / Lieb*e* ... '사랑하는 ...에게' (여자)
- '시간' 명사의 *4격*은 "시간 *부사어*"임 : zwei Wochen '2 주일 동안' / eine Woche '1 주일 동안'

심화 문제

I. 알맞은 전치사는?

1. Sind Sie verheiratet, ledig oder geschieden? - Ich bin ______ sechs Monaten allein. Ich bin geschieden.
2. ______ drei Jahren mache ich mein Examen.
3. ______ meiner Wohnung bis ______ Uni ist es nicht weit.
4. Gehen Sie bitte mal ______ Herrn Baumann! Er wartet jetzt.
5. Wie komme ich am besten ______ Bahnhof?
6. Gehst du gleich nach Haus? - Nein, ich gehe erst noch ______ Post.
7. Ich bringe das Kind ______ Arzt. Es hat Fieber.
8. Ist Sabine da? - Nein, sie ist nicht ______ Haus. Sie ist ______ ihren Eltern.
9. Steig ein! Ich bringe dich ______ Haus.
10. Wie weit ist es? - ______ dem Bus sind es 5 Minuten.
11. ______ dem Unterricht mache ich immer eine Stunde Sport.
12. Ich bin jetzt ______ Arzt. Ich rufe dich später an.
13. Ist das die richtige Straße ______ Museum?
14. ______ so einem Wagen fahre ich sicher nicht.

II. 문맥에 맞게 nicht 또는 kein-을 적으시오.

1. Ist das deine Tasche? - Nein, das ist ________ meine Tasche.
2. Ist er schon zu Hause? - Nein, er ist noch ________ zu Hause.
3. Sprechen Sie gut Deutsch? - Nein, ich spreche ________ gut Deutsch.
4. Haben Sie heute Abend eine Verabredung? - Nein, ich habe noch ________.
5. Hat er ein Auto? - Nein, er hat ________ Auto.
6. Hat das Zimmer einen Kühlschrank? - Nein, es hat leider ________.
7. Er arbeitet ________ schnell, aber gründlich.

III. 괄호 안에 주어진 표현을 사용하여 물음에 답하시오.

1. Was bringst du deinem Chef aus Deutschland mit? (eine Flasche Wein)

   ____

2. Was empfehlen Sie Ihren Gästen? (dieses Menü und ein Rotwein)

   ____

3. Wann kommen unsere Leute an? (in zwei Wochen)

   ____

마무리 문제

I. 괄호 안의 낱말을 사용하여 독일어로 옮기시오.

1. Claudia는 유감스럽게도 아직 집에 안 왔다. 하지만 한 시간 있으면 올 것이다.
   (Claudia, leider, noch, nicht, zu Hause, sein)
   (aber, in, nach Hause, Stunde, kommen)

   ____

2. 나의 아버님께서는 15년 전부터 Bosch 회사에서 일하신다.
   (Vater, fünfzehn, Jahr, mein-, seit, bei, arbeiten)

   ____

3. 너 컴퓨터 있니? - 아니, 아직 없어.
   (du, Computer, haben) (nein, noch, kein-, haben)

   ____

4. 너는 네 여자 동료에게 생일에 무엇을 선물하니? - 나는 내 여자 동료에게 꽃을 선물해.
   (dein-, zum Geburtstag, Kollegin, was, schenken)
   (mein-, Kollegin, Blumen, schenken)

   ____

5. 그는 매일 자기 친구에게 긴 이메일을 쓴다.
   (er, jeden Tag, Freund, sein-, ein-, lang, E-Mail, schreiben)

   ____

II. 잘못된 부분(들)을 고쳐서 다시 적으시오.

1. Sie arbeitet schon in sieben Jahren bei die Siemens.

   ____

2. Ich gebe ein schön Bilderbuch zu meiner Schwester.

   ____

3. In drei Monat kommt meine Familie. Ich zeige meine Familie die Stadt.

   ____

4. Ich interessiere in die klassische Musik.

   ____

5. Ich gehe zusammen mit meinen Freund zu unseren Lehrerin.

   ____

6. Seit meinem Ankunft in Deutschland schreibe ich meine Freunde jeden Tag.

   ____

Lektion 8

인칭대명사 3격 / 형용사 어미변화 (2)

1. 인칭대명사 *3격*

ich ⇒ mir '나에게'	wir ⇒ uns '우리에게'
du ⇒ dir '너에게'	ihr ⇒ euch '너희에게'
er, es ⇒ ihm '그에게, 그것에게'	sie ⇒ ihnen '그들에게'
sie ⇒ ihr '그녀에게'	Sie ⇒ Ihnen '당신에게, 당신들에게'

Ich schenke *dir* ein neues Fahrrad.

<해석> 나는 너에게 새 자전거를 선물한다.

► 동사 schenken('~*에게* ~을 선물하다')의 *간접 목적어*이므로 인칭대명사 *3격* 인 *dir* 가 옴.

Er wohnt schon lange bei *mir.*

<해석> 그는 이미 오랫동안 내 집에서 (함께) 살고 있다.

► *3격 전치사* bei의 목적어이므로 인칭대명사 *3격* 인 *mir* 가 옴 :
bei mir '나에게서', 즉 '내 집에서'

2. *3격* 어미를 지니는 관사, 소유대명사 ... 뒤의 형용사는 모두 어미 *-en* 임!

남성 · 중성 3격 : d*em* , ein*em* , mein*em* , kein*em* , dies*em* ... + 형용사 *-en*
여성 3격 : d*er* , ein*er* , mein*er* , kein*er* , dies*er* ... + 형용사 *-en*
복수 3격 : d*en* , mein*en* , kein*en* , dies*en* ... + 형용사 *-en*

Peter schenkt sein*er* neu*en* Freundin einen goldenen Ring.

<해석> 페터는 그의 새 여자 친구에게 금반지를 선물한다.

► 명사 Freund*in* ('여자친구')은 *여성* 이며, 동사 schenken('선물하다')의 간접목적어로서 *3격* 임.
따라서 소유대명사 sein-('그의')은 *여성 3격* 어미 *-er* 가 붙어 sein*er* 이고,
형용사 neu('새로운')는 3격 어미를 지닌 sein*er* 가 앞에 있으므로 어미 *-en* 이 붙어 neu*en* 임.

Wen meinst du? Meinst du den Herrn mit d*em* schwarz*en* Anzug? -
Nein, ich meine den Herrn mit d*en* rot*en* Schuhe*n*.

<해석> 너 누구를 말하는 거야? 검정 양복의 저 남자 말이니? - 아니, 붉은 구두의 저 남자 말이야.

► 명사 Anzug('양복')은 *남성* 이며, 3격 전치사 mit('~을 가진')의 목적어이므로 *3격* 임.
따라서 *남성 3격* 어미 *-em* 을 지닌 정관사 d*em* 이 앞에 오고,
형용사 schwarz('검정색의')는 3격 어미를 지닌 d*em* 이 앞에 있으므로 어미 *-en* 이 붙어 schwarz*en* 임.

► 명사 Schuh*e*('구두')는 *복수* 이며, *3격 전치사* mit의 목적어이므로 *3격* 임.
따라서 *복수 3격* 어미 *-en* 을 지닌 정관사 d*en* 이 앞에 오고,
형용사 rot('붉은색의')는 3격 어미를 지닌 d*en* 이 앞에 있으므로 어미 *-en* 이 붙어 rot*en* 임.

※ *복수 3격* 명사는 형태가 *-n* 이므로 복수형 Schuh*e* 에 어미 *-n* 이 붙어 Schuhe*n* 임.

기초 문제

I. 올바른 인칭대명사는?

1. Du hast keine Zeit für (mir, mich). Ich gehe ohne (dir, dich) spazieren.
2. Wohnt Herr Breuer bei (Ihnen, Sie)? - Ja, er wohnt bei (mir, mich).
3. Kommst du morgen mit (ihnen, sie) zu (mir, mich)?
4. Mein Freund ist in Deutschland. Ich schicke (ihm, ihn) ein Päckchen.
5. Der Lehrer fragt (dir, dich), nicht (mir, mich).
6. Sie ist jetzt nicht da. Vielleicht rufe ich (ihr, sie) später noch mal an.
7. Herr Berger, ich stelle (Ihnen, Sie) meinen Kollegen vor.
8. Wir schenken (ihr, sie) Blumen zum Geburtstag.
9. Leihst du (mir, mich) bitte 10 Euro? - Kein Problem!
10. Wie schmeckt (dir, dich) das Essen? - Das schmeckt (mir, mich) gut!
11. Ich wünsche (dir, dich) ein frohes neues Jahr!
12. Guten Tag, wie geht es (Ihnen, Sie)? - Danke, gut! Und (Ihnen, Sie)?
13. Ich gehe oft schwimmen. Das ist gesund und macht (mir, mich) Spaß.
14. Das passt sehr gut zu (Ihnen, Sie). Das ist genau das Richtige für (Ihnen, Sie).

II. 밑줄 친 곳에 알맞은 어미는?

1. Ich gehe zusammen mit mein___ beid___ Freund___ durch unser___ schön___ Park.
2. Mein___ Mutter erzählt mir jeden Abend ein___ schön___ Märchen.
3. Ich schenke mein___ klein___ Bruder ein___ interessant___ Buch.
4. Was suchen Sie? - Ich brauche ein___ Anzug mit ein___ elegant___ Jacke.
5. Ich brauche ein___ gut___ Kugelschreiber. - Hier ist ein___ gut___ Kuli.
6. Sie schreibt ihr___ alt___ Freund ein___ lang___ E-Mail.
7. Bei dies___ schlecht___ Wetter bleiben wir lieber zu Hause.
8. Geben Sie mir bitte d___ rot___ Bleistift! - Hier bitte!
9. Ich zeige mein___ neu___ Kollegen unser___ gemeinsam___ Zimmer.
10. Wo wohnt er jetzt? - Er wohnt bei sein___ französisch___ Freund.
11. Was halten Sie von Ihr___ neu___ Mitarbeiter? - Ich halte ihn für tüchtig.
12. Ich glaube, der Chef ist mit dein___ Arbeit ganz zufrieden.
13. Er wohnt nicht weit von sein___ streng___ Lehrer.
14. Wir bieten unser___ alt___ Kunde___ an: ein___ blau___, ein___ braun___ und ein___ schwarz___ Wintermantel.
15. Der Kaufmann steigt in Frankfurt aus und geht zu sein___ treu___ Freund.
16. Ist Herr Kuhn ein Verwandt___ von Ihnen? - Ja, er ist mein___ Onkel.

【42】 Diese Wohnung ist uns zu klein. Mit zwei Kindern brauchen wir eine größere Wohnung.

<해석> 이 집은 우리에게 너무 작다. 아이가 두 명 있어서 (우리는) 보다 더 큰 집을 필요로 한다.

► 「zu + 형용사 (부사)」 '너무 ...한', '너무 ...하게' : zu klein '너무 작은'

► 「형용사 *-er*」 (비교급) '더 ...한' : groß '큰' → größ*er* '더 큰'

※ 형용사가 1 음절이며, 해당 모음이 a, o, u일 경우 비교급은 변모음(Umlaut) 됨 : lang '긴' → läng*er* '더 긴'

【43】 Ich helfe dem armen Mädchen. - Helfen Sie ihr denn auch? Ich helfe ihr schon lange.

<해석> 나는 그 불쌍한 소녀를 돕고 있어요. - 당신도 그녀를 돕나요? 저는 벌써 오랫동안 그녀를 돕고 있어요.

► 동사 helfen('~*를* 돕다'), schaden('~*을* 해치다')은 4격이 아닌 *3격* 목적어와 결합함. (= "*3격* 요구 동사")

► 「명사 + *-chen* (Umlaut)」 '작은 ...', '귀여운 ...' (= "축소명사")

※ 축소명사는 *중성*이며, 복수형은 *단수형과 동일* : das Haus '집' → *das* Häus*chen* '작은 집' (die Häuschen) / das Brot '빵' → *das* Bröt*chen* '작은 빵' (die Brötchen) / *das* Mäd*chen* '소녀' (die Mädchen)

【44】 Wem gehört das Fahrrad hier? Gehört es dir? - Nein, es gehört nicht mir, sondern meinem Mathelehrer.

<해석> 여기 이 자전거는 누구 것이지? (그것은) 네 것이야? - 아니, 그것은 내 것이 아니고, 나의 수학 선생님 것이야.

► 의문사 *wem*('누구에게?')은 wer('누가?')의 *3격* 형임. ※ 4격 형은 wen('누구를?')임.

► 「주어 + gehören + *3격*」 '...에게 속하다', '...의 소유이다'

► 「*nicht* (혹은 *kein-*) A, *sondern* B」 'A가 아니라 B이다'

<참고> 「*nicht nur* A, *sondern auch* B」 'A뿐만 아니라 B 역시 ...'

【45】 Welcher Mantel gehört Ihnen? - Der schwarze Mantel hier.

<해석> 어떤 외투가 네 것이니? - 여기 이 검정색 외투야.

► 의문사 *welch-*('어떤?', 영. which)는 *정관사 d-* 어미변화 함 : Welch*er* Mantel '어떤 외투?' (남성) / Welch*e* Tasche '어떤 가방?' (여성) / Welch*es* Auto '어떤 차?' (중성) / Welch*e* Leute '어떤 사람들?' (복수)

【46】 Machen wir morgen einen Ausflug? - Nur bei schönem Wetter. Bei schlechtem Wetter bleiben wir lieber zu Hause.

<해석> 우리 내일 소풍 갈까? - 날씨가 좋을 경우에만. 날씨가 나쁠 경우에는 집에 머무르는 것이 더 좋겠어.

► 형용사 앞에 관사, 소유대명사, 지시대명사 ...등이 없을 경우 *형용사 자체*가 *정관사 d-* 어미변화 함!

bei schön*em* Wetter :

명사 Wetter('날씨')는 *중성*이고, *3격* 전치사 bei('...일 경우')의 목적어이므로 *중성 3격*임!

형용사 schön('좋은') 앞에 관사, 소유대명사, 지시대명사 ... 등이 없음!

따라서 형용사 schön 자체가 *중성 3격* 정관사 d*em* 처럼 어미변화 하여 schön*em* 이 됨.

(마찬가지로 bei schlecht*em* Wetter '나쁜 날씨일 경우')

<참고> Gut*er* Wein (Gut*es* Bier, Gut*e* Milch) ist nicht immer teuer!
'좋은 포도주(좋은 맥주, 좋은 우유)가 항상 비싼 것은 아니다.'

【47】 Dieses Kleid ist nicht mehr modern. Ich kaufe mir lieber ein neues.

<해석> 이 원피스는 더 이상 현대적이지 않아. (나는) 차라리 새 것을 하나 살거야.

► 뒤 문장의 동사 kaufen('~에게 ~을 사주다')의 3격 목적어 *mir* 는 주어 ich와 동일한 *단수 1인칭*임!
따라서 mir는 *3격 재귀대명사*('나 자신에게')임 :
Er kauft *mir* ein Buch. '그는 나에게 책을 사준다.' (mir는 재귀대명사가 아니라 *인칭대명사*!)
Ich kaufe *mir* ein Buch. '나는 *나 자신에게* 책을 사준다.' 즉 '나는 책을 산다.' (mir는 *재귀대명사*!)

심화 문제

I. 밑줄 친 곳에 알맞은 전치사는?

1. Ich danke Ihnen ________ die Einladung!
2. Was ist denn los ________ dir? Bist du krank?
3. Ich gratuliere dir ________ Geburtstag. - Danke schön!
4. ________ wem redest du denn so? - ________ meinem Kollegen.

II. 밑줄 친 곳에 알맞은 어미는?

1. Dies___ schön___ Haus gehört ein___ freundlich___ alt___ Dame.
2. Warum suchst du dir kein___ neu___ Stelle?
3. Alt___ Leute gehen gerne spazieren.
4. Ich helfe mein___ nett___ Nachbarn immer gern.
5. Diese Maschine ist mir nicht gut genug! - Wir haben leider kein___ besser___.
6. Ich suche für mein___ klein___ Tochter eine Puppe mit lang___ Haaren
7. Wir brauchen nicht nur ein___ Wohnung, sondern auch neu___ Möbel.
8. Welch___ Frau meinst du? - Ich meine d___ groß___ blond___ Frau da.

III. 밑줄 친 곳에 알맞은 대명사는? 이 가운데 재귀대명사는?

1. Frau Schnitzler, macht ________ die Arbeit als Sekretärin Spaß?
2. Hallo, Jan! Wie geht es ________? - Danke, es geht ________ gut. Und ________?
3. Vielen Dank, Herr Müller! Das ist sehr nett von ________.
4. Wir schreiben Ihnen heute. Bitte, antworten Sie ________ bald!
5. Monika kocht nicht gern. Das Kochen ist ________ zu anstrengend.
6. Dieses alte Kleid passt ________ nicht mehr. Es ist zu eng. Ich brauche ein neues.
7. Ich wünsche ________ ein frohes neues Jahr!
8. Mit ________ kommst du morgen zu uns? Mit Katharina? - Ja, ich komme mit ________ zu ________.

마무리 문제

I. 괄호 안의 낱말을 사용하여 독일어로 옮기시오.

1. 이 이메일은 누구에게서 온 것이지? - 모르겠는데.
   (dies-, E-Mail, wem, von, sein) (Ahnung, kein-, haben)

   ____

2. 어느 가방이 당신의 것입니까? - 여기 이 검은 것입니다.
   (welch-, Koffer, Sie, gehören) (hier, dies-, schwarz)

   ____

3. 이 낡은 원피스가 아직 네게 맞니? - 아니, 그것이 너무 몸에 째여. 나는 새 것이 필요해.
   (dies-, alt, Kleid, noch, du, passen) (nein, es, zu, eng, sein, ich, neu, brauchen)

   ____

4. 나는 나의 할아버지에게 자동차로 가지 않고 걸어서 간다.
   (ich, sondern, zu, mein-, nicht, zu Fuß, mit, Auto, Großvater, gehen, fahren)

   ____

5. 그는 사랑하는 자기 아내에게 붉은 장미 열 송이를 사준다.
   (er, Rose, Frau, lieb-, sein-, rot, zehn, kaufen)

   ____

II. 잘못된 부분(들)을 고쳐서 다시 적으시오.

1. Fragen Sie ihm bitte! Er ist der neuen Chef.

   ____

2. Das ist nicht ein Bleistift, aber ein Kugelschreiber.

   ____

3. Ich rufe keine Frau Dr. Stein an, sondern Herr Dr. Peters.

   ____

4. Die Leute sind sehr nett. Sie helfen mich immer gerne.

   ____

5. Peter und Susi reden jetzt mit dem neuem Professor.

   ____

6. Er ist mein gut Freund und ich bin sein gut Freund. Wir sind gut Freunde.

   ____

7. Was wünscht du dich zum Geburtstag? - Ich wünsche mich einen guten Computer.

   ____

Lektion 9

재귀동사 / 명령문

1. 재귀동사 : '(주어) *자신* '을 뜻하는 *재귀대명사*를 목적어로 지니는 동사.
   - 재귀대명사는 *3격* 및 *4격* 두 가지가 있음.
   - 재귀대명사의 형태는 문장의 *주어*에 따라서 결정됨.

주어		3격	4격	주어		3격	4격
ich	⇒	mir	mich	wir	⇒	uns	uns
du	⇒	dir	dich	ihr	⇒	euch	euch

(나머지 경우들, 즉 주어가 *er* , *sie*('그녀'), *es* , *sie*('그들'), *Sie*('당신')일 경우, *3격* 및 *4격* 재귀대명사 모두 *sich* 임!)

① 3격 재귀동사 : 3격 재귀대명사를 (3격) 목적어로 지니는 동사.
Ich wasche *mir* das Gesicht.
<해석> 나는 얼굴을 씻는다.
► 「waschen + 3격 + 4격」 '~에게 ~을 씻어주다'
Ich wasche *mir* das Gesicht. '나는 *나 자신에게* 얼굴을 씻어준다', 즉 '나는 얼굴을 씻는다'.
여기서 3격 목적어 *mir* 는 주어인 Ich와 동일한 *단수 1인칭*이므로 *3격 재귀대명사*임!
※ *Sie* waschen *mir* das Gesicht. '그들은 나에게 얼굴을 씻어준다.'
이 경우 3격 목적어 *mir* 는 주어인 sie('그들')와 인칭이 다르므로 재귀대명사가 아닌 *인칭대명사*임!

② 4격 재귀동사 : 4격 재귀대명사를 (4격) 목적어로 지니는 동사.
Ich wasche *mich* gründlich.
<해석> 나는 꼼꼼히 목욕한다.
► 「waschen + 4격」 '~을 씻다'
Ich wasche *mich* gründlich. '나는 *나 자신을* 꼼꼼히 씻는다', 즉 '나는 꼼꼼히 목욕한다.'
여기서 4격 목적어 *mich* 는 주어인 ich와 같은 단수 1인칭이므로 *4격 재귀대명사*임!
※ *Sie* waschen *mich* gründlich. '그들은 나를 철저히 씻긴다.'
이 경우 4격 목적어 *mich* 는 주어인 sie('그들')와 인칭이 다르므로 재귀대명사가 아닌 *인칭대명사*임!

2. 명령문

① Sie-명령문 : 「동사 원형 + Sie ... !」
Komm*en* Sie doch zu mir!
<해석> 저에게 오세요.
Bitte, wart*en* Sie einen Moment!
<해석> 잠시만 기다리세요.

② du-명령문 : 「동사 어간 ... !」
Komm doch zu mir!
<해석> 나에게 와라.
Bitte, wart*e* einen Moment!
<해석> 잠깐만 기다려라.
► 동사 war*t*en은 어간 끝이 *-t*이므로 발음상 *-e*를 추가함: Wart*e* ...!

기초 문제

I. 밑줄 친 곳에 알맞은 재귀대명사는?

1. Ich suche ______ einen Job für die Ferien. Helfen Sie mir bitte!
2. Vor dem Essen waschen wir ______ die Hände.
3. Mein kleiner Junge wünscht ______ ein Fahrrad zu Weihnachten.
4. Machen Sie ______ keine Sorgen um Ihre Tochter.
5. Ich kaufe ______ ein Buch und er kauft ______ eine Zeitschrift.

II. 밑줄 친 곳에 알맞은 재귀대명사는?

1. Wir interessieren ______ für klassische Musik.
2. Ich ärgere ______ über diesen dummen Fehler.
3. Erinnerst du ______ noch an unseren früheren Kollegen Herrn Müller?
4. Worüber freuen Sie ______? - Ich freue ______ über die Einladung.
5. Wer kümmert ______ um die Kinder? - Ich kümmere ______ um sie.

III. 주어진 동사의 du-명령형은?

1. kommen : __________ bitte mal!
2. antworten : Bitte __________ mir auf meine Frage!
3. schreiben : __________ doch deinen Eltern eine Karte!
4. fragen : __________ mich ruhig. Ich erkläre es dir.
5. machen : __________ jetzt deine Hausaufgaben!
6. warten : Heidi, __________ auf mich. Ich komme gleich.
7. kommen / *mit*bringen : __________ doch heute Abend! __________ auch deine Freunde ______!

IV. 주어진 동사의 Sie-명령형은?

1. geben : ________________ doch Ihren Kindern etwas Taschengeld!
2. *aus*steigen : Entschuldigen Sie, wie komme ich zum Kunstmuseum? - Da nehmen Sie am besten die U-Bahn, Linie 5. ________________ am Neumarkt ______!
3. *ein*steigen : ________________ sofort ______! Wir fahren gleich los.
4. grüßen : ________________ bitte Herrn Meyer von mir!
5. helfen : ________________ mir doch bitte!
6. fahren : Sind Sie verrückt? ________________ doch in der Stadt nicht so schnell!

【48】 Ich fühle mich oft schwach und müde. - Ruhen Sie sich gut aus und erholen Sie sich!

<해석> 나는 자주 힘이 없고 피곤한 느낌을 가져요. - 휴식을 충분히 취하여 피로를 푸세요.

- *4격* 재귀동사 : 「fühlen *sich* ...」 느낌이 ...하다 / 「ruhen *sich* ... *aus*」 휴식하다 / 「erholen *sich*」 회복하다

【49】 Zieh dir die Jacke an; sonst erkältest du dich!

<해석> 이 재킷을 입어! 그렇지 않으면 (너는) 감기 들어!

- *3격* 재귀동사 : 「ziehen sich[3] + 4격(= 의복) ... *an*」 '...을 입다' / *4격* 재귀동사 : 「erkälten sich」 '감기 들다'
- 세미콜론(;) 뒤 문장은 앞 문장과 일정한 의미관계를 이루는데, 보통은 이러한 의미관계를 나타내는 부사어 및 접속사가 뒤 문장에 나옴. 예문에서는 부사어 sonst('그렇지 않으면')가 사용됨.

【50】 Karin und Ingrid verstehen sich gut. - Das stimmt, sie kennen sich schon lange. Sie sind gute Freundinnen.

<해석> 카린과 잉그리트는 서로를 잘 이해해. - 맞아, 그들은 이미 오랫동안 서로 알고 지내지. 그들은 서로 좋은 친구야.

- 주어가 복수일 때 재귀대명사는 '*서로*'로 해석됨 :
  「주어(*복수*) + verstehen *sich*」 '*서로*(*를*) 이해하다' / 「주어(*복수*) + kennen *sich*」 '*서로*(*를*) 알다'

【51】 Bin ich zu laut? - Ja, sei bitte nicht so laut!

<해석> 내 소리가 너무 크냐? - 응, 그렇게 시끄럽게 하지 마.

- 동사 sein('...이다', 영. be)의 명령문 : *Seien Sie* ...! (Sie-명령문) / *Sei* ...! (du-명령문)

【52】 Frag doch den Polizisten! Wahrscheinlich kennt er die Adresse.

<해석> 저 경찰관에게 물어보지 그래. 아마도 그는 그 주소를 알고 있을 거야.

- 복수형이 *-n* 혹은 *-en*인 *남성*명사는 주어를 제외한 *단수 2, 3, 4격*이 복수형과 동일하게 *-n* 혹은 *-en* 임 :
  명사 Polizist('경찰관')는 복수형이 *-en* 인 *남성*명사임!
  따라서 예문에서 Polizist는 동사 Frag의 *4격* 목적어로서 주어가 아닌 *단수 4격*이므로 den Polizist*en* 임.
  <참고> 복수가 *-en* 인 *남성*명사: der Student 대학생, der Mensch 인간, der Journalist 언론인
  복수가 *-n* 인 *남성*명사 (형태 *-e*): der Jung*e* 소년, der Kolleg*e* 동료, der Kund*e* 고객, der Chines*e* 중국인

【53】 (In einer Werkstatt) Mein Auto ist kaputt. - Machen Sie sich keine Sorgen! Ich kümmere mich darum. Ich rufe Sie morgen an.

<해석> (한 정비공장에서) 내 차가 고장났어요. - 걱정하지 마세요. 제가 그것을 돌봐드리지요. (제가) 내일 당신에게 전화 드리겠습니다.

- *das* ('그것')가 전치사와 결합된 형태 : mit + *das* → *da*mit '그것을 가지고' (*da*für, *da*durch, *da*von ...)
  Ich nehme einen Lappen und putze *damit* mein Auto. '나는 천을 집고, *그것으로* 차를 닦는다.'
  ※ 모음으로 시작하는 전치사의 경우 *-r-* 첨가 : um + das → da*r*um (이 밖에도 da*r*auf, da*r*an, da*r*in ...)
  「kümmern sich um + 4격」 '...을 돌보다' : 예문의 da*r*um(= "um + das")은 첫 문장의 명사 Auto를 받음!

심화 문제

I. 알맞은 재귀대명사는? 그리고 "서로"로 해석되는 경우는?

1. Das nächste Mal treffen wir ______ aber bei mir.
2. Herr Ober, die Suppe ist kalt! - Tut mir Leid, ich kümmere ______ sofort darum.
3. Paul kommt mit seinem Studium nicht gut voran. Er ist mit ______ nicht zufrieden.
4. Ich kenne ihn schon lange. Wir verstehen ______ sehr gut. Er ist wirklich ein guter Freund von mir!
5. Freuen Sie ______ auf die Ferien? - Natürlich freue ich ______ darauf.
6. Er liebt sie und sie liebt ihn. Sie lieben ______.
7. Was fehlt Ihnen denn? - Ich fühle ______ nicht wohl.
8. Er ist sehr nett; ich unterhalte ______ gern mit ihm.
9. Ich gewöhne ______ langsam an das Leben in Deutschland. - Ja, du gewöhnst ______ langsam daran.

II. 알맞은 명령형은?

1. sein : Du, die Kinder schlafen! __________________ bitte leise!
2. *ein*steigen : __________________! Ich bringe dich nach Hause.
3. sein : Bitte, __________________ so nett und holen Sie mir die Papiere aus meinem Wagen.
4. *vor*stellen : __________________ sich mal ______, Sie heiraten einen Ausländer!

III. 괄호 안에 주어진 명사의 알맞은 형태는?

1. Sei bitte nett zu deinem neuen ________ (Kollege).
2. Ich halte Markus für einen fleißigen ________ (Student).
3. Wir kennen das Mädchen, aber nicht den ________ (Junge).
4. Mit diesem ________ (Herr) arbeiten wir gern zusammen.
5. Der Junge geht zu einem ________ (Polizist) auf der Straße und fragt ihn.

IV. 알맞은 어미는?

1. Wie heißt dies___ Junge___ da? Kennst du ihn? - Welch___ Junge___ meinst du?
2. Wir sind vier nett___, lustig___ Studentinnen und suchen ein___ größer___ Wohnung.
3. Das Mädchen ist hübsch. - Ja, ein___ wirklich hübsch___ Mädchen.
4. Ich suche ein___ neu___ Sessel. - Wir haben gar keine alt___ Sessel. Wir haben nur neu___ Sessel.
5. Sind Sie für dies___ neu___ Plan? - Ja, ich bin dafür.

마무리 문제

I. 괄호 안의 낱말을 사용하여 독일어로 옮기시오.

1. Paul과 Anne는 서로를 이미 오랫동안 알고 있다.
   (lange, schon, sich kennen)

   ____

2. 그들은 매일 대학에서 서로를 본다.
   (sie, an der Uni, jed-, Tag, sich sehen)

   ____

3. Thomas야, 벌써 늦었어! 좀 서둘러라!
   (es, spät, schon, sein, bitte, sich beeilen)

   ____

4. 너 오늘 뭐 입을 거니? - 나는 나의 새 셔츠를 입을 거야.
   (du, heute, was, $sich^3$ anziehen) (ich, neu, mein-, Hemd, $sich^3$ anziehen)

   ____

5. 너희는 무엇을 열심히 하고 있니? - 우리는 프랑스어에 몰두하고 있어.
   (ihr, womit, sich beschäftigen) (wir, mit, Französisch, sich beschäftigen)

   ____

6. 저희에게 오셔서 이 우아한 옷을 구입하세요.
   (uns, zu, kommen, und, Kostüm, Sie, elegant, dies-, $sich^3$ kaufen)

   ____

II. 잘못된 부분(들)을 고쳐서 다시 적으시오.

1. Wir erholen sehr gut in den Ferien.

   ____

2. Kennst du einen Journalist? - Nein, ich kenne leider keinen Journalist.

   ____

3. Einschalte das Gerät wieder!

   ____

4. Bald mache ich eine Reise mit meinen engen Freunde. Ich freue mich auf das.

   ____

5. Wobei treffen wir sich das nächste Mal? - Das nächste Mal treffen wir sich bei mich.

   ____

Lektion 10

3 · 4격전치사 / 명사의 2격

1. 3 · 4격 전치사 (총 9개!)

in '~안에서, ~안으로'	*an* '~에서, ~로'	*neben* '~옆에서, ~옆으로'
auf '~위에서, ~위로'	*über* '~위에서, ~위로'	*unter* '~아래에서, ~아래로'
vor '~앞에서, ~앞으로'	*hinter* '~뒤에서, ~뒤로'	*zwischen* '~사이에서, ~사이로'

(1) '정지된 *위치*'를 의미할 경우 ('~안*에서*', '~옆*에서*', '~위*에서*'...) → *3격* 지배!

Ist Peter da? - Ja, er arbeitet jetzt in seinem Zimmer.

<해석> 페터가 있니? - 응, 그는 지금 그의 방 안에서 공부하고 있어.

► 3 · 4격 전치사 in('~안')이 *3격* 명사와 결합함. → 따라서 '~안*에서*'를 의미함 :
in sein*em* Zimmer '그의 방 안*에서*'
(Zimmer가 *중성*이므로 sein-은 *중성 3격* 어미 *-em*이 붙음!)

(2) '이동 *방향*'을 의미할 경우 ('~안*으로*', '~옆*으로*', '~위*로*' ...) → *4격* 지배!

Ich bin krank. Ich gehe heute nicht in die Schule.

<해석> 나는 아프다. 나는 오늘 학교로 가지 않는다.

► 3 · 4격 전치사 in('~안')이 *4격* 명사와 결합함. → 따라서 '~안*으로*'를 의미함 :
in *die* Schule '학교*로* (Schule가 *여성*이므로 *여성 4격* 정관사 *die*가 앞에 옴!)

2. 명사의 2격 (= "소유격" : '...*의*')

남성 · 중성명사 : d*es* , ein*es* , mein*es* ... dies*es* + 명사 (어미 *-s* 혹은 *-es*)
*여성*명사 : d*er* , ein*er* , mein*er* , dein*er* ... dies*er* + 명사
*복수*명사 : d*er* , mein*er* , dein*er* ... dies*er* + 명사

Der Bruder d*es* Vater*s* ist der Onkel.

<해석> 아버지의 남자 형제는 삼촌이다.

► 명사 Vater('아버지')는 *남성*! → 따라서 2격은 : ... Bruder d*es* Vater*s* '아버지*의* 형'

Ich bin der Sohn mein*er* Eltern und der Bruder mein*er* Schwester.

<해석> 나는 내 부모님의 아들이며 내 누이의 남자 형제이다.

► 명사 Eltern('부모님')은 *복수*!
→ 따라서 2격은 : ... Sohn mein*er* Eltern '나의 부모*의* 아들'

► 명사 Schwester('누이')는 *여성*!
→ 따라서 2격은 : ... Bruder mein*er* Schwester '나의 누이*의* 오빠'

기초 문제

I. 알맞은 어미는?

1. Der Chef kommt in sein___ Büro.
2. Wie viele Leute sind in dies___ Zimmer?
3. Ich fahre mit meinen Freunden an d___ Ostsee.
4. Wo sind die Kinder? - Sie spielen jetzt auf d___ Straße.
5. Der Ball liegt unter d___ Bett.
6. Der Wagen in d___ Garage gehört meinem Bruder.
7. Wo ist nur das Foto? - Es liegt zwischen d___ Brief___(복수).
8. Meine Freundin wohnt neben ein___ Supermarkt.
9. Er bringt seinen kleinen Sohn in d___ Kindergarten.
10. Gehen Sie über dies___ Brücke!
11. Das Auto steht hinter d___ Haus.
12. Wo treffen wir uns? In d___ Bibliothek?
13. Kommen Sie zu uns auf d___ Terrasse!

II. 알맞은 2격 형태는?

1. Wessen Brille ist das? - Das ist die Brille (mein Chef).
2. Nehmen Sie die Wohnung? - Nein, die Lage (die Wohnung) ist ungünstig.
3. Kauf dir doch das Kleid! - Nein, der Preis (das Kleid) ist zu hoch.
4. Gehört die Wohnung Ihren Eltern? - Ja, das ist die Wohnung (meine Eltern).
5. Wo ist der Bericht (dieser Student)?

III. 알맞은 2격 어미는?

1. Glaubst du die Geschichte d___ Mädchen___?
2. Sie benutzt immer das Wörterbuch ihr___ Bruder___.
3. Die Eltern d___ Schüler___(복수) machen sich Sorgen.
4. Worüber freust du dich denn so? - Über das Ergebnis mein___ Examen___.
5. Wir wünschen allen Kunden und Freunden unser___ Firma___ ein gutes neues Jahr.

IV. 알맞은 전치사와 어미는?

1. Wo arbeitet der Vater des Jungen? - _____ d___ Firma meines Onkels.
2. Herr und Frau Müller freuen sich _____ d___ Geburt ihres Kindes im letzten Mai.
3. Was macht deine Tochter? - Sie geht noch _____ d___ Schule.
4. Am Wochenende fahre ich gerne _____ d___ See.
5. Ich interessiere mich _____ d___ Wiedervereinigung Deutschlands.
6. Ich denke oft _____ mein___ Zukunft.

【54】 Wir gehen heute Abend ins Kino. Kommst du mit? - Das geht leider nicht. Ich fahre zu meiner Freundin. Sie ist krank.

<해석> 우리는 오늘 저녁에 영화관에 가. 너 함께 갈래? - 유감스럽게도 그건 안 돼. 나는 내 여자 친구에게 가. 그녀가 아파.

► *ins* = in das : 「gehen ins Kino (Theater, Konzert)」 '영화관(극장, 음악회)로 가다' / *im* = in dem
► das Kino('영화관')와 같이 형태가 *-o* 인 명사는 모두 *중성*이며, 복수형은 *-s* 임 :
das Auto '자동차' (die Auto*s*) / *das* Büro '사무실' (die Büro*s*) / *das* Radio '라디오' (die Radio*s*)
<참고> 복수형이 *-s* 인 명사 : *das* Hotel '호텔' (die Hotel*s*) / *das* Restaurant '식당' (die Restaurant*s*)

【55】 Wo wohnst du? - Ich wohne unten im ersten Stock, meine Eltern oben im zweiten.

<해석> 너는 어디에서 사니? - 나는 아래쪽 2층에 살고 있고, 나의 부모님은 위쪽 3층에 사셔.

► 서수 : *erst-* '첫째의' / *zweit-* '둘째의' / *dritt-* '셋째의'
※ 서수는 *형용사 어미변화* 함 : im erst*en* Stock '첫째 층에', 즉 '2층에' ↔ im Erdgeschoss '1층에'
► unten '아래에' ↔ oben '위에' / hinten '뒤에' ↔ vorn(e) '앞에' / rechts '오른쪽에' ↔ links '왼쪽에'

【56】 Wohin stellen wir den Tisch? Stellen wir ihn an die Wand? - Nein, stellen wir ihn in die Mitte! Unter der Lampe steht er gut.

<해석> 우리 이 테이블을 어디에 놓지? 벽에 붙여 놓을까? - 아니, 가운데 놓자. 테이블이 전등 아래 있으니 좋다.

► *타동사* stellen('...을 세워 놓다')과 함께 오는 3 · 4격 전치사는 항상 *4격 지배*임!
Wir *stellen* den Tisch an di*e* Wand. '우리는 책상을 벽 *옆으로* 세워 놓는다.'
<참고> 동일한 성격의 *타동사*들 : legen '*무엇*을 놓다', '*누구*를 눕히다' / setzen '*무엇*을 놓다', '*누구*를 앉히다' / hängen '...을 걸다, 매달다' / stecken '...을 꽂다' → 함께 오는 3 · 4격 전치사는 *4격 지배*임!
► *자동사* stehen('서있다')과 함께 오는 3 · 4격 전치사는 항상 *3격 지배*임!
Der Tisch *steht* an d*er* Wand. '책상은 벽 *옆에* 서있다.'
<참고> 동일한 성격의 *자동사*들 : liegen '놓여있다, 누워있다' / sitzen '앉아 있다' / hängen '걸려 있다' / stecken '꽂혀있다' → 함께 오는 3 · 4격 전치사는 *3격 지배*임!

【57】 Setz dich doch in den neuen Sessel! - Danke, aber ich sitze gern auf dem Boden.

<해석> 새 안락의자에 앉아. - 고마워, 하지만 나는 바닥에 앉기를 좋아해.

► 타동사 setzen '...을 앉히다' → 4격 재귀동사 「setzen sich」 '*자신*을 앉히다', 즉 '앉다'

【58】 Nun kommen wir zu den Leistungspunkten des ausländischen Studenten. Er besucht folgende Kurse: deutsche Grammatik, Struktur des deutschen Wortschatzes und deutsche Literatur der Nachkriegszeit.

<해석> 이제 이 외국인 학생의 학점에 대해서 이야기합시다. 그는 다음 과목들을 수강하고 있습니다. 독일어 문법, 독일어 어휘의 구조 그리고 전후 시대의 독일 문학입니다.

► 복수형이 *-n* 혹은 *-en* 인 *남성*명사의 2격은 복수형과 동일하게 *-n* 혹은 *-en* 임. (즉, -s 혹은 -es 아님!) :
... *des* Student*en* / ... *des* Polizist*en* / ... *des* Kollege*n* / ... *des* Junge*n*
► *2격*의 관사, 소유대명사, 지시대명사 ...의 뒤에 오는 *형용사*는 모두 어미 *-en* 이 붙음 :

남성, 중성 2격 : d*es* , ein*es* , mein*es* , dein*es* , ihr*es* ... dies*es* + 형용사 *-en*
여성, 복수 2격 : d*er* , ein*er* , mein*er* , dein*er* , ihr*er* ... dies*er* + 형용사 *-en*
예문에서, ... d*es* ausländisch*en* Student*en* : 앞에 *2격* 정관사 d*es* 가 있으므로 형용사는 어미 *-en* 이 붙음.

【59】 Warum seid ihr immer noch zu Hause? - Wegen des Regens gehen wir nicht zum Stadtfest.

<해석> 왜 너희는 아직도 집에 있니? - 비 때문에 (우리는) 시 축제에 가지 않아.

► *2격* 전치사 : wegen '... 때문에' / trotz '...에도 불구하고' / während '...동안' / statt 혹은 anstatt '...대신에'
예문에서는 남성명사 der Regen이 2격 전치사 wegen과 결합함 : Wegen *des* Regen*s* '비 때문에'

심화 문제

I. 알맞은 '전치사 + 관사' 축약형은 (am, im, ins)?

1. Wo ist meine Hose? - Sie hängt ______ Schrank.
2. Bei schlechtem Wetter gehen wir lieber ______ Museum.
3. Ich sitze jetzt ______ Schreibtisch meiner Schwester.
4. Sie lebt mit ihrem Mann und vier Kindern ______ Ausland.

II. 알맞은 어미는?

1. Wo wohnen Sie? - Ich wohne in d___ Nähe der Universität.
2. Rauch nicht so viel; denk an dein___ Gesundheit!
3. Wohin fahren wir morgen? Fahren wir an d___ See? - Nur bei schön___ Wetter.
4. Jetzt bin ich schon eine Woche in Köln. Nächste Woche beginnt d___ neu___ Semester an d___ Universität.
5. Stellen Sie bitte das Sofa vor d___ Fenster! - Vor d___ Fenster steht doch schon das Regal.
6. Der neue Chef wohnt mit seiner Familie in d___ Stadt.
7. Heute diskutieren wir über d___ neu___ Buch eines berühmten Schriftstellers.

III. 알맞은 2격 형태는?

1. Wessen Wohnung ist das? - Das ist die Wohnung mein___ Freund___.
2. Das Thema d___ Film___ "Die Blechtrommel" ist das Leben ein___ klein___ Junge___ in Nazi-Deutschland.
3. Das ist die Meinung d___ meist__ Männer.
4. Die Armut d___ schwarz___ Bevölkerung___ d___ Land___ ist groß.
5. Kennen Sie den Namen d___ neu___ Sekretärin___ mein___ Mann___?
6. Es regnet jetzt! - Kein Problem! Trotz d___ Regen___ gehen wir spazieren.

마무리 문제

I. 괄호 안의 낱말을 사용하여 독일어로 옮기시오.

1. 나는 주말마다 나의 부모님을 뵈러 서울에 간다.
   (jedes Wochenende, mein-, die Eltern, zu, Seoul, nach, fahren)

   ____

2. 이 컴퓨터를 어디에 놓을까? - 구석에 있는 책상 위에 놓자.
   (dies-, der Computer, wohin, stellen) (die Ecke, in, der Schreibtisch, auf, stellen)

   ____

3. 왜 바닥에 앉아 있니? 이 편한 소파에 앉지 그래.
   (warum, der Boden, auf, sitzen) (dies-, bequem, das Sofa, auf, doch, sich setzen)

   ____

4. 소음에도 불구하고 아기들이 잘 잔다.
   (der Lärm, trotz, das Baby, gut, schlafen)

   ____

5. 나는 내 교수님의 초대에 기뻐한다.
   (ich, mein-, die Einladung, der Professor, über, sich freuen)

   ____

II. 잘못된 부분(들)을 고쳐서 다시 적으시오.

1. Er arbeitet in sein Zimmer.

   ____

2. Stell den Wagen vor der Tür!

   ____

3. Wir glauben dem Versprechen des Präsidentes nicht mehr.

   ____

4. Das Fußballspiel stattfindet wegen der Nebel nicht.

   ____

5. Ich lese gerade das neue Buch eines berühmtes deutsches Schriftsteller.

   ____

6. Wo setze ich mich? - Setz dich bitte hier neben mir!

   ____

7. Ich ärgere mich über meinem Mann. - Ärgere dich nicht darüber.

   ____

Lektion 11

불규칙 변화 동사 (= 단수 2, 3인칭 어간 모음 변화 동사)

주어가 *du* 및 *er*, *sie*, *es* 일 때 *어간 모음*이 변화하는 불규칙 동사들이 있다.
이들은 다음과 같이 3가지 유형을 보인다.

(1) 어간 e → ie		(2) 어간 e → i		(3) 어간 a → ä	
	sehen '...을 보다'		helfen '...을 돕다'		fahren '(차 타고) 가다'
ich	seh*e*	ich	helf*e*	ich	fahr*e*
du	sieh*st* (sehst 아님!)	du	hilf*st* (helfst 아님!)	du	fähr*st* (fahrst 아님!)
er	sieh*t* (seht 아님!)	er	hilf*t* (helft 아님!)	er	fähr*t* (fahrt 아님!)
wir	seh*en*	wir	helf*en*	wir	fahr*en*
	......		......		......

Ich sehe jetzt einen Polizisten. Sieh*st* *du* ihn auch?
<해석> 나는 지금 한 경찰관을 보고 있어. 너도 역시 그를 보고 있니?
▸ sehen '...을 보다' : du sieh*st* / er (sie, es) sieh*t* (어간 모음 i → ie 유형!)

Ich helfe Sabine. Hilf*st* *du* ihr auch? - Nein, *Klaus* hilf*t* ihr.
<해석> 나는 자비네를 돕는다. 너 역시 그녀를 돕니? - 아니, 클라우스가 그녀를 돕고 있어.
▸ helfen '...을 돕다' : du hilf*st* / er (sie, es) hilf*t* (어간 모음 e → i 유형!)

Ich fahre heute nach Hamburg. Fähr*st* *du* mit?
<해석> 나는 오늘 함부르크로 (차 타고) 간다. 너도 함께 갈래?
▸ fahren '(차 타고) 가다' : du fähr*st* / er (sie, es) fähr*t* (어간 모음 a → ä 유형!)

기초 문제

I. 다음 불규칙 동사들의 알맞은 형태는?

1. sehen : ich _____ / du _____ / er _____ / wir _____ / ihr _____ / sie, Sie _____
2. lesen : ich _____ / du _____ / er _____ / wir _____ / ihr _____ / sie, Sie _____
3. helfen : ich _____ / du _____ / er _____ / wir _____ / ihr _____ / sie, Sie _____
4. essen : ich _____ / du _____ / er _____ / wir _____ / ihr _____ / sie, Sie _____
5. treffen : ich _____ / du _____ / er _____ / wir _____ / ihr _____ / sie, Sie _____
6. sprechen : ich _____ / du _____ / er _____ / wir _____ / ihr _____ / sie, Sie _____

7. fallen : ich _____ / du _____ / er _____ / wir _____ / ihr _____ / sie, Sie _____

8. fahren : ich _____ / du _____ / er _____ / wir _____ / ihr _____ / sie, Sie _____

9. schlafen : ich _____ / du _____ / er _____ / wir _____ / ihr _____ / sie, Sie _____

II. 주어진 동사의 알맞은 형태는?

1. fahren : Da kommt der Zug. Er ________ weiter nach Hamburg.
2. sehen : ________ du ihn heute noch? - Ja, ich habe eine Verabredung mit ihm.
3. denken : ________ du gern an deine Schulzeit? - Ja, daran ________ ich gern.
4. schlafen : Mein Freund ist immer müde und ________ viel.
5. warten : Worauf ________ Maria jetzt? - Sie ________ auf das Essen.
6. treffen : Ich ________ morgen Herrn Müller. ________ du ihn auch?
7. lesen : Wann ________ du die Zeitung? - Ich ________ morgens die Zeitung.
8. stehen : Das Haus unserer Großeltern ________ leider nicht mehr.
9. halten : Er ist ein freundlicher Mensch! - Ja, jeder ________ ihn für einen netten Menschen.
10. unterhalten : Mit wem ______________ du dich gerne? - Ich ______________ mich gern mit meinen Kollegen und Kolleginnen.
11. wachsen : Trotz der hohen Ölpreise ________ der Export.
12. sagen : Was ________ du zu seinem Vorschlag? - Im Moment ________ ich noch nichts dazu.
13. *ein*laden : Wen ________ du heute noch _____? - Einen Freund meiner Schwester.

III. 밑줄 친 동사의 원형은?

1. Ist die Post weit vom Hauptbahnhof? - Nein, sie liegt ganz in der Nähe des Hauptbahnhofs.
2. Udo kommt heute Nachmittag zu mir. Er sieht mit mir zusammen das Fußballspiel im Fernsehen.

IV. 알맞은 동사를 <보기>에서 선택하여 올바르게 표현하시오.

Er _______ noch in die Schule. Im Sommer _______ er mit seinen Eltern an die See. Dort _______ er die meiste Zeit einfach am Strand und _______ ein Buch oder _______.

<보기> fahren, gehen, lesen, liegen, schlafen

【60】 Siehst du etwas? - Nein, ich sehe nichts.

<해석> 너는 뭔가가 보이니? - 아니, 나는 지금 아무것도 안 보여.

► *etwas* '뭔가' (영. something) ↔ *nichts* '아무것도 ...않다' (영. nothing)

【61】 Der Unterricht fängt heute um 10 Uhr an. Es ist schon Viertel nach neun. Ich fahre nicht mit dem Bus, sondern mit einem Taxi.

<해석> 오늘 수업이 10시에 시작해. 벌써 9시 15분이야. 나는 버스가 아니라, 택시를 타고 가.

► 분리동사 *an*fangen '시작하다' : du fäng*st* ... *an* / er fäng*t* ... *an*
(← 타동사 fangen '...을 잡다, 붙잡다' : du fäng*st* / er fäng*t*)

► 시각 표현 「um ... Uhr」 '...시에' : um zehn Uhr '10시에'
das Viertel '분수 1/4', 즉 '15분' : um Viertel *nach* neun '9시 후에 15분', 즉 '9시 15분에'
um Viertel *vor* neun '9시 전에 15분', 즉 '8시 45분에'

【62】 Wie heißt der Herr dort? - Tut mir Leid, das weiß ich auch nicht.

<해석> 저기 저 신사는 이름이 어떻게 되니? - 유감이지만, 나도 알지 못해.

► 타동사 *wissen* ('...을 알다')은 예외적으로 주어가 ich일 경우도 불규칙 변화함 :
ich weiß ; du weiß*t* ; er (sie, es) weiß ; wir wiss*en* ; ihr wiss*t* ; sie, Sie wiss*en*

► 둘째 문장의 지시대명사 *das* ('그것')는 *앞 문장 내용 전체*를 받음.
※ 지시대명사는 das는 성, 수에 관계없이 앞의 명사, 구절, 문장 일부 및 전체 등 무엇이든지 받을 수 있음!

【63】 Gefällt dir die Jacke gut? - Ja, aber die da vorne finde ich besser.

<해석> 그 재킷이 네 마음에 잘 드니? - 응, 하지만 나는 저기 앞에 있는 것(= 재킷)이 더 좋은 것 같아.

► 「A gefallen + 3격」 'A는 *3격*의 마음에 들다' : du gefäll*st* / er gefäll*t*
(← 타동사 fallen '떨어지다' : du fäll*st* / er fäll*t*)

► '장소'의 부사어 : da, dort '저기' ↔ hier '여기' / da vorne '저기 앞에', hier oben '여기 위에' ...

► 둘째 문장의 지시대명사 *die* 는 앞에 나온 *여성*명사 Jacke('재킷')를 받음!
<참고> 지시대명사 *der* , *die* , *das* ...(정관사 아님!)는 인칭대명사 er, sie, es처럼 앞에 나온 명사를 받음 :
Wo ist *dein Freund*? - Der (= Er) ist zu Hause. '네 친구는 어디 있니?' - '그는 집에 있어.'

【64】 Iss nicht so viel; du wirst zu dick.

<해석> 그렇게 많이 먹지 마. 너는 너무 뚱뚱해져.

► 유형 e → *ie* 및 e → *i* 인 불규칙 동사의 du-명령문은 *어간 모음 변화*함!
essen : du iss*t* ⇒ du-명령문 : Iss! '먹어라!' / sehen : du sieh*st* ⇒ du-명령문 : Sieh! '보아라!'

► 동사 *werden* ('...되다', 영. become) 역시 불규칙 동사임 : Ich werd*e* ; du wirst ; er wird ; wir werden ...

【65】 Du fährst zu schnell! Fahr bitte langsamer!

<해석> 너는 너무 빨리 운전하고 있어. 더 천천히 (운전해서) 가.

► 유형 a → ä 인 불규칙 동사의 du-명령문은 *어간 모음 변화 없음*!
fahren : du fähr*st* ⇒ Fahr! '차 타고 가라!' (즉, Fähr! 아님.) / Schlaf gut! '잘 자라!' / Halt doch! '멈춰라!'

심화 문제

I. 주어진 동사의 알맞은 형태는?

1. gefallen : Wie ________ dir mein neues Auto? - Gut. Nur die Farbe des Autos ________ mir nicht.
2. werden : Es ________ langsam dunkel.
3. *fern*sehen : ________ du am Abend _____? - Ja, beim Abendessen.
4. wissen : Kommt er morgen? - Das ________ ich nicht.
5. nehmen : Maria ________ heute nicht den Bus, sondern ein Taxi.
6. essen : Was ________ du zum Frühstück? - Ich ________ nichts, aber ich trinke immer eine Tasse Kaffee.
7. *ein*laden : Am zehnten Juli hat er Geburtstag. Dazu ________ er seine Freunde _____.

II. 주어진 동사의 du-명령문은?

1. nehmen : ________ nicht so viele Tabletten! Das ist nicht gesund.
2. geben : ________ mir bitte das Buch! Das gehört mir.
3. schlafen : Bei wem schlafe ich? - ________ doch bei mir!
4. sprechen : ________ doch nicht so schnell! Ich verstehe dich nicht richtig.
5. *vor*lesen : ________ mir bitte eine Geschichte _____!
6. *ein*laden : ________ doch auch seine Freundin _____!
7. *an*sehen : ________ dir bitte dieses Foto einmal genau _____!

III. 밑줄 친 du-명령문을 Sie-명령문으로 바꾸시오.

1. <u>Stell dir das einmal vor!</u> Ist er nicht verrückt?
2. <u>Setz dich nicht auf den Stuhl da!</u> Der ist nicht bequem. <u>Nimm lieber den Sessel!</u> Der ist besser.
3. Es ist 7 Uhr. <u>Steh(e) auf!</u> <u>Wasch dich und putz dir die Zähne!</u>

IV. 알맞은 지시대명사 der, die, das ... 를 넣으시오.

1. Ist der Platz hier frei? - Nein, ______ ist besetzt.
2. Wie findest du den Mantel? - ______ finde ich langweilig! - Und den Rock? - ______ finde ich toll!
3. Ich nehme diese Jacke hier. ______ sieht schick aus.
4. Gefällt Ihnen das Kleid nicht? - Doch, ______ gefällt mir gut, aber es ist zu kurz.
5. Wir haben oft Gäste. ______ bleiben manchmal ziemlich lange bei uns.

마무리 문제

I. 괄호 안의 낱말을 사용하여 독일어로 옮기시오.

1. 식사 전에는 손을 씻는다.
   (man, das Essen, vor, die Hand, sich[3] waschen)

   ____

2. 나는 점차 독일 날씨에 익숙해진다.
   (ich, langsam, an, in, das Wetter, Deutschland, sich gewöhnen)

   ____

3. 가난한 이웃들을 도와주어라.
   (arm, die Mitmenschen, helfen)

   ____

4. 그는 자신의 손님에게 커피를 한 잔 더 준다.
   (er, ein-, Gast, Tasse, noch, sein-, Kaffee, geben)

   ____

5. 한반도의 경치가 얼마나 마음에 드세요? - 매우 마음에 듭니다.
   (die koreanische Halbinsel, auf, die Landschaft, wie, Ihnen, gefallen)
   (die, sehr gut, mir, gefallen)

   ____

II. 잘못된 부분(들)을 고쳐서 다시 적으시오.

1. Mutter regt sich über meinem Bruder auf. - Worüber? - Na, über Stefan!

   ____

2. Das hier ist meiner Großvater. - Erzähl mir davon!

   ____

3. Man geht zuerst über der Brücke. Dann sieht er einen großen Baum.

   ____

4. Sprech laut und deutlich. Ich verstehe dir nicht.

   ____

5. Schläf doch endlich ein!

   ____

6. Käuf keinen Pullover, sondern ein Hemd! Der ist nicht teuer, sondern sehr billig.

   ____

Lektion 12

화법조동사 (1) : können, müssen, wollen

1. 화법조동사의 형태 : 주어가 단수 ich / du / er, sie, es 일 때 불규칙 변화!

	können	müssen	wollen
	'...할 수 있다' (영. can)	'...해야 한다' (영. must)	'...하려고 한다' (영. will)
ich	kann (könn*e* 아님!)	muss (müss*e* 아님!)	will (woll*e* 아님!)
du	kann*st* (könn*st* 아님!)	muss*t* (müss*t* 아님!)	will*st* (woll*st* 아님!)
er, sie, es	kann (könn*t* 아님!)	muss (müss*t* 아님!)	will (woll*t* 아님!)
wir	könn*en*	müss*en*	woll*en*
ihr	könn*t*	müss*t*	woll*t*
sie (Sie)	könn*en*	müss*en*	woll*en*

2. 화법조동사는 *동사 원형*과 결합한다. (동사 원형은 *문장 맨 뒤*에 위치함!)

Ich *kann* nicht mit dem Bus *fahren*. Ich *muss* ein Taxi *nehmen*.

<해석> 나는 버스를 타고 갈 수 없다. 나는 택시를 타야 한다.

Wir *wollen* bald eine große Reise *machen*.

<해석> 우리는 곧 큰 여행을 하려고 한다.

3. 화법조동사는 문맥에 따라서 동사 원형 없이 단독으로 올 수 있다.

Komm, wir *müssen* jetzt nach Hause. - Ich *will* aber nicht.

<해석> 어서 (서둘러), 우리는 지금 집으로 가야 해. - 나는 안 갈래.

▸ 앞 문장의 nach Haus는 '집*으로*'이므로 '장소 이동'의 동사들, 즉 gehen('가다') 등과 결합해야 함.
따라서 문장 맨 뒤에 동사 gehen이 생략된 것으로 볼 수 있음 :
... wir *müssen* jetzt nach Hause (gehen)

▸ 뒤 문장의 경우, 앞 문장에서 이미 언급된 "nach Haus (gehen)"이 반복을 피해 생략됨.

Können Sie Deutsch? - Ja, aber nicht so gut.

<해석> 당신은 독일어를 할 수 있습니까? - 예, 하지만 그렇게 잘 하지는 못해요.

▸ 언어 명인 Deutsch('*독일어*')는 내용상 동사 sprechen('*말하다*') 등과 결합해야 함.
따라서 문장 맨 뒤에 동사 sprechen이 생략된 것으로 볼 수 있음 :
Können Sie Deutsch (sprechen)?

기초 문제

I. 화법조동사 können, müssen, wollen의 알맞은 형태는?

1. *K*________ du Klavier spielen?
2. Mein Freund macht morgen Examen. Er *k*________ nicht zu uns kommen.
3. Guten Tag, hier ist Peter Klage. *K*________ ich bitte Herrn Müller sprechen?
4. *K*________ Sie mir helfen? Ich suche für meine kleine Tochter eine Puppe mit langen Haaren.
5. Gehen wir jetzt einkaufen? - Gleich, ich *m*________ vorher noch telefonieren.
6. Rita ist krank. Sie *m*________ zu Haus bleiben.
7. Hier spricht man nur Deutsch. Du *m*________ Deutsch lernen.
8. *W*________ Sie schon gehen? - Ja, wir *m*________ morgen sehr früh aufstehen.
9. Wir *w*________ bald eine große Reise machen.
10. Warum *w*________ er unsere Stadt verlassen? Gefällt es ihm hier nicht mehr?
11. Worüber *w*________ du morgen mit ihm sprechen?

II. 밑줄 친 표현 (= 동사 원형) 가운데 생략이 가능한 경우는?

1. Heute müssen wir in die Stadt <u>fahren</u>.
2. Kann Herr Klug hier bleiben? - Nein, er muss ins Hotel <u>gehen</u>.
3. Können Sie Deutsch <u>sprechen</u>? - Ja, aber nicht so gut.
4. Gisela will das Buch <u>zurückbringen</u>; das Thema interessiert sie nicht.
5. Willst du ein Bier <u>trinken</u>? - Ja, gern.
6. Wollen Sie dieses Paket zur Post <u>bringen</u>? Ich muss jetzt auch zur Post <u>gehen</u>. Ich kann es für Sie <u>abschicken</u>.

III. 괄호 안의 표현 가운데 알맞은 것을 선택하시오.

1. Was kann ich für (Ihnen, Sie) tun?
2. Wollen Sie mit (mir, mich) tanzen? - Ja, gerne.
3. Diese Kamera ist sehr kompliziert. Ich kann (damit, womit) nicht fotografieren.
4. Brauchst du das Buch gerade oder kann ich es nehmen? - (Nehm, Nimm) es ruhig, ich brauche es nicht mehr.
5. Mein Computer ist (kaputt, krank). Kannst du ihn reparieren?
6. Herr Kohl, Sie müssen (sich, Sich) mehr bewegen! Gehen Sie jeden Tag eine halbe Stunde spazieren!

IV. 알맞은 어미는?

1. Willst du wirklich d___ teur___ Computer hier kaufen? - Ja, ich brauche unbedingt ein___ gut___ Computer für mein___ neu___ Arbeit.
2. Kann ich Ihnen helfen? - Ja, ich suche ein___ Kleiderschrank mit groß___ Tür___.
3. Die Wohnung im fünft___ Stock können Sie leider noch nicht mieten; die wird erst im Oktober frei. Nehmen Sie doch die im viert___.

【66】 Heute ist Sonntag. Wir müssen nicht arbeiten.

<해석> 오늘은 일요일이다. 우리는 일할 필요가 없다.

► 화법조동사 müssen('...해야 한다')의 *부정문*은 '...할 *필요 없다*' (영. must not ...)

【67】 Wie weit ist es zum Hotel? Kann man dahin zu Fuß gehen? - Nein, es ist viel zu weit. Sie müssen die U-Bahn oder den Bus nehmen.

<해석> 호텔까지는 (거리가) 얼마나 먼가요? 그곳으로 걸어서 갈 수 있나요? - 아니오, 그것은 (아주) 너무 멀어요. 당신은 지하철 혹은 버스를 타야 해요.

► 부정대명사 *man*('사람들은, 우리는')은 항상 *주어*이며, *단수* 취급함! *Kann* man ...? (즉, *Können* man ... 아님!)
※ man은 (특정인이 아니라) 그냥 막연하게 '사람들'이라는 의미를 갖는 영어의 people, one에 해당함. 따라서 일반적인 사실이나 경향을 나타낼 때 사용되므로 굳이 *해석이 필요 없는* 경우들도 많음!
z.B. Im Sommer trinkt man viel kaltes Wasser. '(사람들은) 여름에는 시원한 물을 많이 마신다.'

【68】 Elke, schau mal, der Wetterbericht! Wahrscheinlich regnet es morgen! - Eventuell können wir dann unseren Ausflug nicht machen. Hoffentlich scheint morgen die Sonne!

<해석> 엘케야, (여기) 한번 봐, 일기예보 말이야! 아마도 내일 비가 올 확률이 커! - 그렇다면 우리 어쩌면 소풍 가지 못할 수 있겠군. (희망컨대) 내일 해가 비췄으면 좋겠어!

► 화법조동사 können (추측, 가능성) '...*일 수 있다*'

► '추측'의 부사어 : wahrscheinlich '아마도' (실현 가능성 높음!) / vielleicht, eventuell '어쩌면, 아마도' (실현 가능성 낮음!) / sicher, bestimmt '틀림없이, 확실히' (확신!)

【69】 Warum kommt Jutta nicht zu deiner Party? - Ich weiß es nicht genau, aber sie muss sehr beschäftigt sein.

<해석> 왜 유타가 너의 파티에 오지 않니? - (나는) 정확히는 모르겠지만, (그녀가) 매우 바쁜 것이 틀림없어.

► 화법조동사 「müssen ... sein」 (확신) '...임에 *틀림없다*' (영. must be ...)

【70】 Heute gibt es einen interessanten Film. Ich will ihn sehen.

<해석> 오늘 흥미있는 영화가 있어. 나는 그것을 보겠어.

► 「Es gibt + *4격*」 '...이 있다' (존재)
※ 동사 geben('...을 주다')은 어간 모음 e → *i* 유형 불규칙 동사 : du gib*st* / er (sie, es) gib*t*

【71】 Ich muss Herrn Schmidt dieses Buch bringen. - Geben Sie es mir. Ich sehe ihn morgen, da kann ich es ihm geben.

<해석> 나는 슈미트씨에게 이 책을 가져다 주어야 해요. - 저에게 그것을 주세요. 제가 내일 그 분을 만나요. 그 때 (제가) 그것을 그 분에게 줄 수 있어요.

► 어순 규칙: ① *대명사*는 다른 낱말보다 앞에 옴. ; ② 대명사 : 1격 - 4격 - 3격 ; ③ 명사 : 1격 - 3격 - 4격
Geben Sie *es mir*. (4격 *es* 가 3격 *mir* 앞에 옴!) / ... da kann ich *es ihm* ... (4격 *es* 가 3격 *ihm* 앞에 옴!)

심화 문제

I. 화법조동사 können, müssen, wollen의 알맞은 형태는?

1. Vielleicht weiß er es auch nicht. Wer *k*_____ mir dabei helfen?
2. Im Internet *k*_____ man wichtige Informationen suchen und finden.
3. *M*_____ du heute ins Büro? - Nein, heute ist Samstag. Seit der Einführung der Fünftagewoche *m*_____ man samstags nicht mehr arbeiten.
4. Was *w*_____ du nach dem Studium machen? - Ich *w*_____ weiter studieren. Aber nebenbei *m*_____ ich Geld verdienen. Ich *m*_____ mein Studium selbst finanzieren.

II. können? müssen? wollen? 내용상 알맞은 화법조동사는?

1. Ich habe es eilig. Ich ________ bis 9 Uhr im Büro sein.
2. Hier ist die Endstation dieses Zuges. Du ________ aussteigen.
3. Es ist sehr warm hier. ________ du bitte das Fenster aufmachen?
4. Kinder, ihr ________ jetzt ins Bett gehen! - Mama, es ist doch erst 20 Uhr.
5. Vielleicht regnet es, es ist nicht sicher. - Ja, das ________ sein. Es regnet heute wahrscheinlich.

III. 밑줄 친 문장을 화법조동사를 사용하여 표현하시오.

1. Wahrscheinlich gewinnt er heute. Er spielt fantastisch!
   ⇒ Er ____.
2. Katharina ist sicher schon zu Hause. Ich weiß es genau.
   ⇒ Katharina ____.
3. Dieser Plan ist nicht realisierbar. Der ist viel zu kompliziert.
   ⇒ Man ____.

IV. 괄호 안의 표현 가운데 알맞은 것을 선택하시오.

1. Wir gehen heute Abend ins Kino. Kommst du mit? - Ich kann leider nicht. Ich fahre (zu, bei, nach) meiner Freundin. Sie ist krank.
2. Kann Herr Rogalla heute (in, bei) Ihnen übernachten? - Nein, meine Eltern kommen. Er muss leider (im, ins) Hotel übernachten.
3. Um 8 Uhr will er fernsehen, aber es (gibt, gebt) keinen guten Film.
4. (Läss, Lass) mich bitte in Ruhe! Ich muss mich (auf, an) die Arbeit konzentrieren.
5. Kann man hier parken? - Nein, hier ist Parken (verboten, erlaubt).

마무리 문제

I. 괄호 안의 낱말을 사용하여 독일어로 옮기시오.

1. 나를 좀 도와줄 수 있니? 나는 이 독일어 텍스트를 이해할 수가 없어.
   (du, ich, bitte, helfen, können)
   (ich, dies-, deutsch, Text, verstehen, können)

   ____

2. 나는 아직 잠자러 갈 수 없다. 3개의 중요한 이메일에 답을 해야 한다.
   (ich, nicht, noch, ins, gehen, Bett, können)
   (drei, E-Mail, antworten, wichtig, auf, müssen)

   ____

3. 졸업 후에 무엇을 하려고 합니까? - 일자리를 구하려고 합니다.
   (das Studium, nach, was, machen, wollen)
   (sich[3] suchen, eine Stelle, wollen)

   ____

4. 월요일과 수요일마다 나는 스페인어 강좌에 가야 해.
   (ich, montags, mittwochs, und, der Spanischkurs, zu, müssen)

   ____

II. 잘못된 부분(들)을 고쳐서 다시 적으시오.

1. Mein Freund kannt sprechen sieben Fremdsprachen.

   ____

2. Du müsst jede Woche am Unterricht teil nehmen.

   ____

3. Am Sonntag muss Mann nicht zur Arbeit gehen.

   ____

4. Du must fleißig lernen. Sonst kanst du die Prüfung nicht bestehen.

   ____

5. Warum können Sie schon gehen? Bleib doch noch etwas!

   ____

6. Ist dieser Milch noch trinkbar? - Ja, man will ihn noch trinken.

   ____

7. Frag doch mich! Ich erkläre dir es.

   ____

Lektion 13

화법조동사 (2) : dürfen, sollen, möchten

화법조동사 dürfen, sollen, möchten 역시 주어가 단수 ich / du / er, sie, es 일 때 불규칙 변화함!

	dürfen	sollen	möchten
	'...해도 된다' (영. may)	'...해야 한다' (영. should)	'...하고 싶다' (영. would like to)
ich	darf (dürf*e* 아님!)	soll (soll*e* 아님!)	möchte
du	darf*st* (dürf*st* 아님!)	soll*st*	möchte*st*
er, sie, es	darf (dürf*t* 아님!)	soll (soll*t* 아님!)	möchte (möcht*et* 아님!)
wir	dürf*en*	soll*en*	möchte*n*
ihr	dürf*t*	soll*t*	möchte*t*
sie (Sie)	dürf*en*	soll*en*	möchte*n*

Mutti, darf *ich* jetzt fernsehen? - Nein, *du* soll*st* ins Bett gehen.

<해석> 엄마, 나 지금 TV 봐도 돼? - 아니, 너는 잠자리에 들어야 해.

► 분리동사 *fern*sehen('TV 보다')은 문장 맨 뒤에 원형으로 올 때 분리되지 않음!

Möchte*n* *Sie* etwas trinken? - Nein, danke!

<해석> 당신 뭔가를 마시고 싶나요? - 아니오, 됐습니다.

※ müssen vs. sollen

Hier spricht man nur Deutsch. Ich *muss* Deutsch lernen.

<해석> 여기는 (사람들이) 오로지 독일어만 사용해. 나는 독일어를 배워야 해.

► müssen은 '*필연*' 혹은 '*강제*'에 근거한 '...해야 한다' (즉, '...*하지 않을 수 없다*')임.

Der Lehrer sagt, ich *soll* im Unterricht nur Deutsch sprechen.

<해석> 선생님은 말하시기를, 내가 수업에서 오로지 독일어만 사용해야 한대.

► sollen은 (해당 주어가 아닌) *타인의 의지나 바람*에 근거한 '...해야 한다'임.
예문에서 화법조동사 sollen을 포함하고 있는 문장 "ich *soll* ... sprechen"의 내용인 '내가 독일어만 사용*해야 한다*'는 '필연'이나 '강제'가 아니라 *선생님의 의지나 바람*에 근거한 결과임.

기초문제

I. 화법조동사 dürfen, sollen, möchten, können, müssen, wollen의 알맞은 형태는?

1. Man *s*________ seine Eltern ehren.
2. Herr Treck, *d*________ ich Ihnen meinen Mann vorstellen?

3. *D*________ wir heute Abend ins Kino gehen? - Ja, aber ihr *s*________ zuerst eure Hausaufgaben machen.
4. *Mö*________ Sie ein Bier? - Nein, ich nehme lieber ein Glas Wein.
5. Du bist sicher müde von der langen Fahrt. *Mö*______ du dich nicht etwas ausruhen?
6. Von Computern *mö*________ er viel verstehen, aber nicht von Kunst.
7. Kann ich Ihnen helfen? - Ich *mö*________ sechs Brötchen.
8. Ich suche mir einen Job für die Ferien. *K*________ du mir da helfen?
9. *K*________ wir uns um 4 Uhr treffen? - Nein, am Nachmittag habe ich keine Zeit; erst am Abend.
10. An den Wochentagen *m*________ ich früh aufstehen, aber am Wochenende nicht.
11. Ich *m*________ mich beeilen. Es ist schon Viertel vor sieben. Um sieben (Uhr) kommen unsere Gäste!
12. Warum *w*________ Sie unsere Stadt verlassen? Gefällt es Ihnen hier nicht mehr?
13. Worüber *w*________ du morgen mit ihm sprechen?

II. 알맞은 화법조동사는?

1. Peter möchte ein Auto fahren; also ________ er den Führerschein machen.
2. ________ ich dir noch einen Kaffee machen? - Nein, das brauchst du nicht.
3. ________ ich mal deinen Computer benutzen? - Ja, klar!
4. Monika, ich ________ dich auch einladen. Kommst du mit?
5. ________ ich Sie etwas fragen? - Ja, natürlich! Fragen Sie nur!
6. Siehst du dir heute Abend das Theaterstück im Fernsehen an? - Ich ________ leider nicht. Ich habe keine Zeit dafür.

III. 알맞은 표현은?

1. (Wohin, Wo) soll ich mich setzen? - Hier neben mich!
2. (Wozu, Zu wem) soll ich kommen? - Komm doch zu mir!
3. Was möchten Sie (zu, für) Mittag essen?
4. Darf ich Sie (zu, nach) einem Glas Wein einladen?
5. Ich möchte am Wochenende auf (die Berge, den Bergen) steigen.

IV. 알맞은 어미는?

1. Ich möchte vor unser___ Abreise noch d___ ganz___ Wohnung aufräumen.
2. Ich möchte ein___ Sprachkurs machen. Deshalb bin ich hier in Deutschland.
3. In der Nähe meiner Wohnung gibt es ein___ Park, ein___ Einkaufszentrum und ein___ U-Bahnstation.

【72】 Ich mag zwar Nudeln, aber heute möchte ich Reis essen. Ich muss abnehmen.

<해석> 나는 국수를 좋아하지만, 오늘은 밥을 먹고 싶다. (나는) 살을 빼야 해.

► 「zwar ... , aber ... 」 (양보) '물론 ...이긴 하지만, ...이다'
► *타동사* mögen('...을 좋아하다') 역시 화법조동사처럼 *주어가 단수*일 때 불규칙 어미변화 함!
ich mag ; du mag*st* ; er (sie, es) mag ; wir mög*en* ; ihr mög*t* ; sie, Sie mög*en*

【73】 Ist es Ihnen nicht zu warm? Soll ich das Fenster aufmachen?

<해석> (당신에게) 너무 덥지 않나요? (제가) 창문을 열어드릴까요?

► *Soll ich* ...? ("제가 ...할까요?")는 상대방의 의사를 묻는 경우 사용함. (제안, 배려)

【74】 Mein Computer ist kaputt. - Soll ich Peter anrufen? Er soll Computerfachmann sein. Er kann dir sicher helfen.

<해석> 내 컴퓨터가 고장났어. - (내가) 페터에게 전화해줄까? 그가 컴퓨터 전문가라는데. (그는) 틀림없이 너를 도와줄 수 있을 거야.

► 화법조동사 sollen은 '소문' 및 '다른 사람의 주장'에 근거하여 말할 경우 사용됨 : '...*라고(들) 한다*'
► 「동사 어간 *-er* 」 인 명사는 모두 *남성*이며, 복수형은 *단수형과 동일*함!
① '기계, 기구' : *der* Comput*er* 컴퓨터 (die Computer) / *der* Fernseh*er* 텔레비전 (die Fernseher)
② '행위자' : *der* Besuch*er* 방문자 (die Besucher) / *der* Verkäuf*er* 판매자 (die Verkäufer)

【75】 Darf man hier rauchen? - Nein, das darf man nicht. Hier ist Rauchen verboten.

<해석> 여기서 담배 피워도 되나요? - 아니오, 그래서는 안 됩니다. 여기는 흡연이 금지되어 있습니다.

► 화법조동사 dürfen('...해도 된다')의 *부정문*은 '금지'의 의미인 '...*해서는 안 된다*'임. (영. may not)
► 동사 원형을 대문자 표기하면 *중성*명사가 됨 : rauchen '흡연하다' → *das* Rauchen '흡연, 흡연하기'

【76】 Nach dem Essen soll man nicht schwimmen. - Ja, ich weiß, das ist schlecht für den Kreislauf.

<해석> 식사 후에 수영해서는 안 돼. - 그래, 그것이 혈액 순환에 나쁘다는 것을 (나는) 알고 있어.

► 화법조동사 sollen('...해야 한다')의 부정문은 '...*해서는 안 된다*', '...*하지 않는 것이 좋다*'임. (영. should not)

【77】 Bleiben Sie bitte ruhig sitzen! Ich kann mich sonst nicht auf meine Arbeit konzentrieren.

<해석> 조용히 앉아 계세요! 그렇지 않으면 저는 제 일에 집중할 수 없어요.

► 「bleiben ... 동사 원형」 '...하며 머무르다', '...한 채 그대로 있다' : *Bleiben* Sie ... *sitzen* !
「gehen (fahren) ... 동사 원형」 '...하러 간다' ('...하러 차 타고 간다') : Wir *gehen* nachher *einkaufen*.
「sehen (hören) + 4격 ... 동사 원형」 '*4격*이 ...하는 것을 보다 (듣다)' : *Siehst* du *das Kind lachen*?
「helfen + 3격 ... 동사 원형」 '*3격*이 ...하는 것을 돕다' : Ich *helfe dir* das Zimmer *aufräumen*.
「lernen ... 동사 원형」 '...하는 것을 배우다' : Wir *lernen* gerade *schwimmen*.

【78】 Ich kann mein Fahrrad nicht selbst reparieren. Ich lasse es immer reparieren.

<해석> 나는 내 자전거를 나 스스로 수선할 능력이 없어. 나는 그것을 늘 수선하라고 시켜.

► 동사 lassen(영. let)의 두 가지 용법 :

① 「lassen + 4격 ... 동사 원형」 '*4격*으로 하여금 ...*하도록* 하다'

Sie lässt *ihn* die Fenster richtig *putzen*. '그녀는 그로 하여금 창문을 제대로 *닦도록* 한다.'

② 「lassen + 4격 ... *타동사* 원형」 '*4격*으로 하여금 ...*되도록* 하다' ('*수동*'의 의미!)

Ich lasse *es* immer *reparieren*. '나는 그것이 *수선되도록* 한다.'

Sie lässt *die Fenster* richtig *putzen*. '그녀는 창문이 제대로 *닦이도록* 한다.'

심화 문제

I. mögen의 알맞은 형태는?

1. Der Junge ________ dieses Mädchen nicht.
2. ________ du amerikanische Filme? - Ja, die gefallen mir sehr gut.
3. ________ Sie diese Schokolade? Die ist nicht schlecht. Die ________ ich sehr.
4. Trinken Sie gern Wein? - Nein, Wein ________ wir nicht.

II. 내용상 알맞은 화법조동사는?

1. Was will er denn jetzt schon wieder? - Du ________ ihm eine Zeitung holen.
2. Sag den Kindern, sie ________ ruhig sein!
3. Hier darf man nicht rauchen. Du ________ deine Zigarette ausmachen.
4. Peter kann Auto fahren. Aber er ist betrunken. Er ________ jetzt nicht Auto fahren.
5. Hier ist Schwimmen verboten. Wir ________ also hier nicht schwimmen. Gehen wir dorthin!
6. Wohin ________ ich die Blumen stellen? Auf den Tisch? - Nein, stellen Sie sie auf den Fernseher!
7. Ich bin furchtbar müde; ich ________ mich sofort ins Bett legen.
8. Im Sommer ________ man nicht heizen.

III. 다음 중 밑줄 친 화법조동사의 의미가 다른 것은?

ⓐ Susanne darf zwar Schokolade essen, aber sie soll sich danach die Zähne putzen.

ⓑ Es ist schon zu spät. Wir sollen ihn nicht mehr anrufen.

ⓒ Das ist meine neue Nachbarin. Sie soll eine bekannte Schauspielerin sein.

IV. 내용상 알맞은 표현(들)을 고르시오.

1. Sagen Sie es ihm nicht! Er (kann, muss, darf, soll) es auf keinen Fall erfahren.
2. Der Arzt sagt, du (kannst, musst, darfst, sollst) nicht rauchen.

마무리 문제

I. 괄호 안의 낱말을 사용하여 독일어로 옮기시오.

1. 제가 커피 한 잔 대접해도 되겠습니까? - 유감스럽게도 지금 시간이 없어요.
   (ich, Kaffee, einladen, eine Tasse, zu, dürfen) (leider, jetzt, Zeit, kein-, haben)

   ____

2. 나는 그를 좋아하기는 하지만 그를 사랑하지는 않는다.
   (ich, ihn, mögen, aber, nicht, ihn, lieben)

   ____

3. 나는 독일여행을 하고 싶지만 돈이 없다.
   (ich, die Deutschlandreise, machen, möchten, aber, Geld, kein-, haben)

   ____

4. 너 빨리 사장님께 오래. 사장님이 너하고 이야기하시고 싶대.
   (du, schnell, der Chef, zu, kommen, sollen) (er, du, mit, sprechen, möchten)

   ____

5. 내일 언제 올까요? - 일찍 올 필요 없어요. 오후에 와도 돼요.
   (morgen, wann, kommen, sollen) (früh, kommen, müssen, nicht)
   (am Nachmittag, kommen, können)

   ____

6. 이 음식이 맛있을지는 몰라도 나는 지금 식욕이 없다.
   (dies-, Gericht, schmecken, gut, mögen, aber, ich, Appetit, jetzt, kein-, haben)

   ____

II. 잘못된 부분(들)을 고쳐서 다시 적으시오.

1. Ich möge gern Eis, aber ich dürfe kein Eis essen.

   ____

2. Sie ist 40 Jahre alt. Sie mag wieder 20 sein.

   ____

3. Er möchte gehen heute früh nach Hause.

   ____

4. Er sollt krank sein. Mag ich bei ihm vorbeischauen? - Ja, bitte.

   ____

5. Hier ist der Parken verboten. Hier muss man also nicht parken.

   ____

Lektion 14

동사의 3 기본형 / 현재완료 (1) : haben ... pp

1. 동사의 3 기본형 : 원형 - 과거형 - 과거분사형(= pp형)

(1) 규칙 변화 : 어간은 변화 없고, 어미만 일정하게 변화!

wohn*en* - wohn*te* - *ge*wohn*t*

lern*en* - lern*te* - *ge*lern*t*

<주의> arbeit*en* - arbeit*e**te* - *ge*arbeit*e**t*

► 동사 arbei*t*en처럼 어간 끝이 -*t*, -*d*인 경우는 -e- 첨가!

(2) 불규칙 변화 : 어간 모음이 변화하며, pp형은 *ge-en*임. (*암기* 필요!)

어간 모음의 변화 방식에 따라 몇몇 유형으로 구분됨.

유형 1 : sehen - sah - gesehen / lesen - las - gelesen / ...

► 3 기본형의 어간 모음이 e - a - e 인 경우들

유형 2 : helfen - half - geholfen / treffen - traf - getroffen / ...

► 3 기본형의 어간 모음이 e - a - o 인 경우들

유형 3 : ......

※ *be-*, *ver-*, *ge-* ... 등으로 시작하는 동사의 pp형은 *ge-* 가 탈락함!

*be*komm*en* - *be*kam - *be*kommen (← kommen - kam - *ge*kommen)

*ver*steh*en* - *ver*stand - *ver*standen (← stehen - stand - *ge*standen)

*ge*hör*en* - *ge*hör*te* - *ge*hör*t* (← hör*en* - hör*te* - *ge*hör*t*)

2. "현재완료" 시제 : 「*haben* ... pp형」 ⇒ 지난 과거의 일을 표현! ('... *하였다*')

Gestern haben wir den Bus *genommen* , aber heute nehmen wir lieber ein Taxi.

<해석> 어제는 우리가 버스를 *탔다*. 그러나 (우리는) 오늘은 차라리 택시를 탄다.

► 동사 nehmen('...을 취하다, 타다', 영. take)은 *불규칙 변화* :

nehmen - nahm - genommen

현재완료 「haben ... pp」 → 주어가 wir이므로 hab*en*임.

즉 : ... haben *wir* ... *genommen*. ('...*탔다*')

Sprichst du Englisch? - Ja, ich habe es in der Schule *gelernt*.

<해석> 너는 영어를 하니? - 응 나는 그것을 학교에서 *배웠어*.

► 동사 lernen('배우다')은 *규칙* 변화 : lern*en* - lern*te* - *ge*lern*t*

현재완료 「haben ... pp」 → 주어가 ich이므로 hab*e*임.

즉 : ... *ich* habe ... *gelernt*. ('...*배웠다*')

기초 문제

I. 다음 규칙변화 동사의 3 기본형은?

1. machen ____________________
2. spielen ____________________
3. leben ____________________
4. schenken ____________________
5 suchen ____________________
6. besuchen ____________________
7. versuchen ____________________
8. arbeiten ____________________
9. kaufen ____________________
10. verkaufen ____________________
11. reden ____________________
12. regnen ____________________

II. 다음 불규칙변화 동사의 3 기본형은?

1. helfen ____________________
2. schlafen ____________________
3. fallen ____________________
4. gefallen ____________________
5. fahren ____________________
6. schließen ____________________
7. essen ____________________
8. vergessen ____________________
9. geben ____________________
10. bitten ____________________
11. bieten ____________________
12. nehmen ____________________
13. finden ____________________
14. laufen ____________________
15. schwimmen ____________________
16. beginnen ____________________
17. schreiben ____________________
18. beschreiben ____________________
19. bringen ____________________
20. verbringen ____________________

III. 괄호 안에 주어진 동사의 현재완료 문장을 완성하시오.

1. Gestern ______ ich mir ein interessantes Buch ____________ (kaufen).
2. Ist das Buch gut? - Keine Ahnung. Ich ______ es noch nicht ____________ (lesen).
3. Das Mädchen ______ mindestens zwölf Stunden ____________ (schlafen).
4. Ich ______ Herrn Schmidt so lange nicht mehr ____________ (sehen). Was macht er eigentlich?
5. Mein Freund _____ mir __________ (schreiben). Er will mich in den Ferien besuchen.
6. In diesem Semester ______ ich keine guten Noten ____________ (bekommen). Ich bin gar nicht mit mir zufrieden.
7. ______ Sie schon ____________ (bestellen)? - Nein, bringen Sie mir bitte eine Pizza und ein Bier!
8. Was ______ Frau Lehmann im Januar ____________ (machen)? - Da ______ sie ihre Eltern ____________ (besuchen).

【79】 Ich habe diesen Abschnitt nicht verstanden. Ich muss ihn noch einmal lesen.

<해석> 나는 이 단락을 이해하지 못했다. 나는 그것을 한 번 더 읽어야 한다.

► 동사 *ver*stehen('...을 이해하다')의 pp형은 *ge- 탈락* : ... habe ... *ver*standen. (즉, vergestanden 아님!)

【80】 Frau Schmidt hat einen Brief von ihrer Freundin Gerda bekommen. Sie hat sich sehr darüber gefreut.

<해석> 슈미트 부인은 그녀의 여자친구 게르다로부터 편지 한장을 받았다. 그녀는 그것에 대해 매우 기뻐했다.

► 동사 *be*kommen('...을 받다, 얻다')의 pp형은 *ge- 탈락* : ... hat ... *be*kommen. (즉, begekommen 아님!)

【81】 Er hat vier Jahre Englisch, Französisch und Geschichte studiert. Nach dem Studium hat er ein Jahr in London gearbeitet.

<해석> 그는 4년 동안 영어, 불어, 그리고 역사를 전공했다. 학업 후에 그는 1년 동안 런던에서 일했다.

► 형태가 *-ieren* 인 동사는 3 기본형이 *규칙 변화*이며, pp형은 *ge- 탈락* !
studier*en* ('...을 전공하다') - studier*te* - studier*t* (즉, *ge*studier*t* 아님!)
※ 예외적으로 동사 verl*ieren*('...을 분실하다, 잃다')은 불규칙 변화: verlieren - verlor - verloren

► das Studi*um*('학업')처럼 형태가 *-um* 인 명사는 모두 *중성*이며 복수형은 어미 *-um*이 *-en* 으로 바뀜!
das Studi*um* (*die* Studi*en*) / *das* Muse*um* 박물관 (*die* Muse*en*) / *das* Zentr*um* 중심 (die Zentr*en*)

【82】 Warum hast du mich denn nicht angerufen? Ich habe lange auf deinen Anruf gewartet.

<해석> 왜 너는 나에게 전화하지 않았니? (나는) 오랫동안 너의 전화를 기다렸어.

► *분리동사*의 pp형은 -ge-가 분리전철과 기본 동사 사이에 위치함!
*an*rufen ('...에게 전화 걸다') - *an*rief - *an*ge*rufen (← rufen - rief - gerufen)

【83】 Wohin fahren Sie in den Ferien? - Das habe ich mir noch nicht überlegt.

<해석> 당신은 휴가 기간에 어디로 가십니까? - 그것에 대해서 나는 아직 숙고해보지 않았어요.

► *über-* , *unter-* , *wieder-* ... 등과 결합된 동사들의 pp형은 *ge- 탈락* !
「*über*legen sich³ + 4격」 ('...을 숙고하다') - *über*leg*te* - *über*leg*t* (← leg*en* - leg*te* - *ge*leg*t*)
*über*setzen ('...을 번역하다') - *über*setz*te* - *über*setz*t* (← setz*en* - setz*te* - *ge*setz*t*)
「*unter*halten sich」 ('대화하다') - *unter*hielt - *unter*halten (← halten - hielt - *ge*halten)
*wieder*holen ('...을 반복하다') - *wieder*hol*te* - *wieder*hol*t* (← hol*en* - hol*te* - *ge*hol*t*)

【84】 Wo ist denn bloß mein Handy? - Hast du es nicht ins Regal gelegt? - Nein, im Regal liegt es nicht.

<해석> 도대체 내 휴대폰이 어디 있지? - 너 그것을 책장 안에 놓아두지 않았니? - 아니, 책장 안에는 그것이 놓여있지 않아.

► *타동사* legen('...을 놓다'), stellen('...을 세우다'), setzen('...을 앉히다')은 *규칙 변화*임!
(함께 오는 3·4격 전치사는 *4격 지배*) :
leg*en* - leg*te* - *ge*leg*t* / stell*en* - stell*te* - *ge*stell*t* / setz*en* - setz*te* - *ge*setz*t*

► *자동사* liegen('놓여있다'), stehen('서있다'), sitzen('앉아있다')은 *불규칙 변화*임!
(함께 오는 3 · 4격 전치사는 *3격 지배*) :
liegen - lag - gelegen / stehen - stand - gestanden / sitzen - saß - gesessen

► *타동사* 및 *자동사*인 stecken('...을 꽂다' 혹은 '꽂혀있다')은 *규칙 변화*임 : steck*en* - steck*te* - *ge*steck*t*
타동사 및 *자동사*인 hängen('...을 걸다' 혹은 '걸려 있다')은 *규칙* 혹은 *불규칙 변화*임 :
häng*en*('...을 걸다') - häng*te* - *ge*häng*t* (규칙!) / hängen('걸려 있다') - hing - gehangen (불규칙!)
(동사 stecken, hängen과 함께 오는 3 · 4격 전치사는 해당 의미에 따라 *4격* 혹은 *3격 지배*)

심화 문제

I. 현재완료 문장을 완성하시오.

1. Wohin ______ du das Buch ____________ (stellen)? - Es steht im Regal.
2. Heute bin ich sehr müde. Gestern ______ wir das Ende des Semesters ____________ (feiern).
3. ______ Sie den Text selbst ____________ (übersetzen)? - Nein, mein Freund ______ das ____________ (machen).
4. Mit wem ______ du denn heute so lange ____________ (telefonieren)?
5. ______ Petra ihr Zimmer ____________ (*auf*räumen)? - Nein, noch nicht. Aber sie räumt es morgen auf.
6. Warum legst du dich nicht ins Bett? - Ich ______ doch schon zwei Stunden im Bett ____________ (liegen).
7. Vielen Dank für deinen Brief! Ich ______ mich darüber ____________ (freuen).
8. Er spricht viel zu schnell. Ich ______ fast nichts ____________ (verstehen).
9. ______ du diesen Roman schon ____________ (lesen)? - Ja, er ist sehr interessant.
10. Er darf auf keinen Fall Auto fahren. Er _____ zu viel Alkohol __________ (trinken).

II. 다음 문장을 현재완료 시제로 바꾸시오.

1. Was schenken Sie dem Jungen? ⇒ ______________________________
2. Isst du schon etwas? ⇒ ______________________________
3. Ich mache eine Reise nach Deutschland. ⇒ ______________________________
4. Wann fängt er mit seinem Studium an? ⇒ ______________________________
5. Mein Vater arbeitet den ganzen Tag. ⇒ ______________________________
6. Es regnet in der Nacht stark. ⇒ ______________________________
7. Anke lädt mich nicht zu ihrer Party ein. ⇒ ______________________________
8. Wir treffen uns am Donnerstag. ⇒ ______________________________
9. Er unterhält sich oft mit seinem Nachbarn. ⇒ ______________________________
10. Kerstin hilft ihrer Mutter beim Kochen. ⇒ ______________________________

마무리 문제

I. 괄호 안의 낱말을 사용하여 독일어로 옮기시오.

1. 나는 영화관에 가고 싶지 않다. 나는 그 영화를 벌써 보았다.
   (ich, das Kino, in, gehen, möchten) (ich, der Film, schon, sehen)

   ____

2. 너 벌써 숙제 했니? - 아니, 지금까지 잤어. 곧 시작할 거야.
   (du, schon, deine Hausaufgaben, machen) (nein, jetzt, bis, schlafen)
   (gleich, anfangen)

   ____

3. 나는 내 열쇠를 잃어버렸어. 너 그것 보았니?
   (ich, mein-, der Schlüssel, verlieren) (du, ihn, sehen)

   ____

4. Müller 씨를 봤습니까? - 네, 내가 아까 우연히 그 사람을 만났습니다.
   (Herr Müller, sehen) (ja, ich, ihn, vorhin, zufällig, treffen)

   ____

5. 이메일 고맙다. 그것을 받고 매우 기뻤어.
   (die E-Mail, für, vielen Dank) (darüber, sehr, sich freuen)

   ____

II. 잘못된 부분(들)을 고쳐서 다시 적으시오.

1. Das Semester hat beginnt schon. Jetzt habe ich keine Zeit mehr.

   ____

2. Hast du schon frühgestückt? - Ja, ich habe schon etwas geesst.

   ____

3. Wo hat er gestudiert? - Er studiert in Berlin.

   ____

4. Hast du ihn schon angeruft? - Ja, aber er kann mich nicht geholfen.

   ____

5. Er hat das Buch zweimal gelest, aber er hat es nicht vergestanden.

   ____

6. Womit hast du gerade untergehalten? - Mit meinem Kollege.

   ____

Lektion 15

현재완료 (2) : sein ...... pp

현재완료 형식이 「*sein* ... pp형」 인 동사들이 있다.

이에 해당하는 것들은 다음 두 가지 유형의 *자동사*들이다. (타동사는 없음!)

(1) '*장소 이동*' 자동사 : gehen '가다', kommen '오다', fahren '타고 가다' ...

Hast du Peter gesehen? - Ja, aber er ist gerade nach Haus *gegangen.*

<해석> 너 페터를 보았니? - 응, 하지만 그는 방금 집으로 *갔어.*

► gehen('가다')은 '*장소 이동*' 자동사임. (3 기본형: gehen - ging - gegangen)

따라서 현재완료는 「*sein* ... pp」 : ... er ist ... *gegangen.*

(즉, hat ... *gegangen* 아님!)

(2) '*상태 변화*' 자동사 : wachsen '성장하다', *ein*schlafen '잠들다' ...

Mein Sohn ist im letzten Jahr 5cm *gewachsen.*

<해석> 나의 아들은 작년에 5 cm 성장*했다.*

► wachsen('성장하다')은 '*상태 변화*' 자동사임.

(3 기본형: wachsen - wuchs - gewachsen)

따라서 현재완료는 「*sein* ... pp」 : Mein Sohn ist ... *gewachsen.*

(즉, hat ... *gewachsen* 아님!)

※ 현재완료 형식 「sein ... pp」 는 *자동사*의 경우만 적용된다.

Peter *ist* nach Leipzig *gefahren.*

<해석> 페터는 라이프치히로 (차 타고) *갔다.*

► 여기서 fahren는 '(차 타고) 가다', 즉 *자동사*임. (3 기본형: fahren - fuhr - gefahren)

따라서 현재완료는 「*sein* ... pp」 : Peter ist ... *gefahren*

Peter *hat* das Auto *gefahren.*

<해석> 페터가 그 자동차를 *운전했다.*

► 여기서 동사 fahren은 '...*을* 운전하다', 즉 4격 목적어를 지니는 *타동사*임!

따라서 현재완료는 「*haben* ... pp」 : Peter hat ... *gefahren.*

(즉, ist ... *gefahren* 아님!)

기초 문제

I. 다음 동사의 3 변화형은?

1. reisen ______________________ 2. fahren ______________________

3. fliegen ______________________ 4. steigen ______________________

5. kommen ____________________ 6. fallen ____________________
7. *ein*schlafen ____________________ 8. sterben ____________________

II. 현재완료 문장을 완성하시오.

1. Meine Nachbarin fährt nur mit dem Auto oder mit dem Zug. Sie ______ noch nie ____________ (fliegen).
2. Ist Karin da? - Nein, sie ______ zum Arzt ____________ (gehen).
3. ______ Sie gestern gut nach Hause ____________ (kommen)?
4. ______ du am Wochenende wirklich auf den Halla-Berg ____________ (steigen)?
5. Ich ______ mit dem Taxi zur Uni ____________ (fahren).
6. Mein Großvater ______ letztes Jahr ____________ (sterben).

III. 현재완료 문장을 완성하시오.

1. Ich ______ gestern zwei Stunden auf dich ____________ (warten). Warum ______ du nicht ____________ (kommen)?
2. Früher ______ wir oben im siebten Stock ____________ (wohnen).
3. Er ______ an die Universität ____________ (gehen) und ______ ein Forschungsprojekt ____________ (übernehmen).
4. Er ______ in den Ferien ____________ (arbeiten); dadurch ______ er etwas Geld ____________ (verdienen).
5. Warum ______ Jens seine Freundin nicht ____________ (besuchen)? - Die beiden ______ sich ____________ (streiten).
6. Wir ______ ihn zweimal ____________ (*ein*laden); trotzdem ______ er nicht ____________ (kommen).
7. Sie ______ also am Wochenende nach München ____________ (fahren). Wer von Ihnen ______ das Auto ____________ (fahren)? Sie oder Ihr Mann?
8. Zu Weihnachten ______ sich mein kleiner Bruder ein neues Fahrrad ____________ (wünschen).
9. Kennst du Jürgen schon lange? - Nein, ich ______ ihn erst im Sommer ____________ (*kennen* lernen). Vorher ______ ich ihn nicht ____________ (kennen).

IV. 다음 문장을 현재완료 시제로 바꾸시오.

1. Er reist viel. ⇒ ________________________________
2. Er denkt an deinen Geburtstag. ⇒ ________________________________
3. Warum geht er nicht ins Kino? ⇒ ________________________________
4. Wann kommst du nach Österreich? ⇒ ________________________________
5. Wir wohnen in der Nähe des Rathauses. ⇒ ________________________________
6. Was geschieht? ⇒ ________________________________
7. Warum besucht er seine Kollegin nicht? ⇒ ________________________________
8. Was sagt er dir denn? ⇒ ________________________________

【85】 Am Wochenende bin ich oft zu meiner Großmutter gefahren. Bei ihr hat es mir immer sehr gut gefallen.

<해석> 주말에 나는 자주 나의 할머니에게 갔다. 그녀의 집에서는 늘 (분위기가) 아주 내 마음에 들었다.

► 「A gefallen + 3격」 'A는 *3격*의 마음에 들다' (*3격* 요구 동사!)
3 기본형: *gefallen* - *gefiel* - *gefallen* (← fallen - fiel - gefallen)

【86】 Paul ist vor 6 Monaten hier angekommen. Er ist also schon seit einem halben Jahr hier.

<해석> Paul 은 6개월 전에 여기에 도착했다. 그는 그러므로 반 년 전부터 여기에 있다.

► 분리동사 *an*kommen('도착하다')은 기본 동사 -kommen에 상응하여 「*sein* ... pp」 임 : ... ist ... *angekommen*

【87】 Die Kinder sind immer noch nicht nach Hause gekommen. Hoffentlich ist ihnen nichts passiert.

<해석> 아이들이 아직도 집에 오지 않았다. (희망하건대) 그들에게 아무 일도 발생하지 않았으면 좋겠다.

► passieren = geschehen('발생하다')은 '상태 변화' 자동사임!
따라서 현재완료는 「*sein* ... pp」 : ... ist ... *passiert*.
(3 기본형: passier*en* - passier*te* - passier*t* (pp형에서 ge- 탈락!) / geschehen - geschah - geschehen)

【88】 Er ist vor 10 Jahren nach Deutschland gekommen. Inzwischen ist er Deutscher geworden.

<해석> 그는 10년 전에 독일로 왔다. 그 사이 그는 독일 사람이 되었다.

► 형용사를 *대문자* 표기하고 *어미변화* 하면 명사화! 예를 들어 형용사 deutsch('독일의')를 명사화 하면 :
남성 변화 : *der* Deutsch*e* '그 독일 *남자*' / *ein* Deutsch*er* '한 독일 *남자*'
여성 변화 : *die* Deutsch*e* '그 독일 *여자*' / *eine* Deutsch*e* '한 독일 *여자*'
복수 변화 : *die* Deutsch*en* '그 독일인들' / (복수이므로 부정관사 없이) Deutsch*e* '독일인들'
<참고> 명사 Verwandt-('친척'), Bekannt-('친지'), Angestellt-('종업원')는 *형용사 어미변화* 함.
► werden('...되다')은 '상태 변화' 자동사로서 현재완료가 「*sein* ... pp」 임. (werden - wurde - geworden)

【89】 Sind Sie gestern lange bei Ihrem Kollegen geblieben? - Nein, ich bin schon gegen 10 Uhr nach Haus gegangen.

<해석> 당신은 어제 오랫동안 당신의 동료 집에 머물렀습니까? - 아니오, 저는 10시 경에 벌써 집으로 갔어요.

► 동사 bleiben('머무르다')은 예외적으로 현재완료가 「*sein* ... pp」 임. (bleiben - blieb - geblieben)

【90】 Der Bus hat schon 2 Stunden Verspätung; da muss etwas passiert sein.

<해석> 버스가 벌써 2시간 연착하고 있다. (그런 점에서) 무슨 일이 발생하였음에 틀림없다.

► 「müssen ... sein」 '...*임에* 틀림없다' (*현재* 일에 대한 확신)
「müssen ... 완료형」 '...*였음에* 틀림없다' (*과거* 일에 대한 확신) : ... muss ... *passiert sein*

심화 문제

I. 현재완료 문장을 완성하시오.

1. _____ Sie ________ (fliegen) oder mit dem Zug ________ (fahren)?
2. Tut mir Leid, der Kaffee _____ ziemlich stark ________ (werden). - Das macht gar nichts, ich mag starken Kaffee sehr gern.
3. Wir besuchen fast jeden Sonntag unsere Eltern, aber letztes Wochenende _____ wir zu Hause ________ (bleiben).
4. Zum Glück _____ ihm bei dem Unfall nichts ________ (passieren).
5. Warum _____ Frau Voß nicht zu der Sitzung heute Morgen ________ (kommen)? - Sie muss einen sehr dringenden Termin gehabt haben.
6. Mein Kollege _____ vor einer halben Stunde ________ (*an*kommen).

II. 현재완료 문장을 완성하시오.

1. Ulla und Sandra kennen sich zwar noch nicht lange, aber sie ______ schon gute Freundinnen ____________ (werden).
2. ______ Ihnen das Spiel nicht ____________ (gefallen)?
3. ______ er lange bei dir ____________ (bleiben)? - Nein, er ______ am Abend schon wieder ____________ (*ab*reisen).
4. Es ______ ganz plötzlich dunkel ____________ (werden), und gleich danach ______ es viel ____________ (regnen).
5. Wir ______ um 9 Uhr ___________ (*auf*stehen), dann ______ wir um 10 Uhr ___________ (frühstücken). Danach ______ wir in die Stadt zum Einkaufen ___________ (fahren).
6. Wo ist denn das Lexikon? - Gestern _____ es hier auf dem Tisch ________ (liegen).
7. Wir ______ um 14 Uhr ____________ (*an*kommen) und um 16 Uhr wieder ____________ (*ab*fahren).
8. Die Stadt ______ durch ihre Umweltprojekte bekannt ____________ (werden).

III. 다음 문장을 현재완료 시제로 바꾸시오.

1. Meine Freundin wird Lehrerin. ⇒ ________________________________
2. Alle bleiben eine Woche. ⇒ ________________________________
3. Ich lege den Teppich auf den Boden. ⇒ ________________________________
4. Er mietet eine kleine schöne Wohnung. ⇒ ________________________________
5. Sie fährt mit ihrem Fahrrad in die Stadt. ⇒ ________________________________

마무리 문제

I. 괄호 안의 낱말을 사용하여 독일어로 옮기시오.

1. 너 어제 파티에 얼마나 오래 머물렀니?
   (du, gestern, die Party, auf, wie, lange, bleiben)

   ____

2. 아침에는 눈이 내렸지만, 오후에는 다시 따뜻해졌다.
   (es, Morgen, am, warm, schneien, aber, Nachmittag, am, wieder, werden)

   ____

3. 그가 나를 벌써 두 번이나 자기 집에 초대했지만, 나는 매번 거절했다.
   (er, mich, schon, zweimal, zu sich nach Hause, einladen, aber, ich, jedes Mal, ablehnen)

   ____

4. 우리는 서로 알고 지낸 지 아직 오래되지 않았지만, 곧 좋은 친구가 되었다.
   (wir, noch, nicht, lange, sich kennen, aber, wir, schnell, gut, Freund, werden)

   ____

5. 일요일에 나는 수영장에 가서 한 시간 동안 수영했다.
   (ich, ins, Sonntag, Schwimmbad, am, gehen, und, eine Stunde, schwimmen)

   ____

II. 잘못된 부분(들)을 고쳐서 다시 적으시오.

1. Er hat nach Deutschland gegangen und dort drei Jahre gestudiert.

   ____

2. Ich bin sie nach Hause gefahren.

   ____

3. Gestern habe ich sehr schnell eingeschlaft.

   ____

4. Letzte Nacht habe ich dreimal wach geworden.

   ____

5. Er ist aus Deutschland. Er ist Deutsche.

   ____

6. Ich habe ihn lange nicht begegnet.

   ____

Lektion 16

시제 (1) : 과거 (war / hatte / konnte, musste ...)

1. "과거" 시제 : 지난 과거의 일을 표현함. ('...*하였다* ')
동사 3 기본형 가운데 *과거형*이 어미변화!

sein - war - gewesen		haben - hatte - gehabt	
ich	war	ich	hatte
du	war*st*	du	hatte*st*
er, sie, es	war	er, sie, es	hatte
wir	war*en*	wir	hatte*n*
ihr	war*t*	ihr	hatte*t*
sie, Sie	war*en*	sie, Sie	hatte*n*

2. "현재완료" vs. "과거"

(1) "현재완료" : 과거의 사건이 현재 시점과 연관될 경우.
(일상 회화 등 주로 *구어체*에서 사용!)

Was hast du gestern *gemacht*? -
Ich bin gestern mit meinem Freund nach Berlin *gefahren*. (일상의 대화!)
<해석> 너는 어제 무엇을 *했니*? - 나는 내 친구와 함께 베를린으로 *갔어*.
► 일상의 대화로서 "*현재완료*" 시제가 사용됨 :
... hast du ... *gemacht*? / Ich bin ... *gefahren*.

(2) "과거" : 과거의 사건이 현재 시점과 직접 연관되지 않을 경우.
(신문 기사, 소설, 동화, 이력서 등 주로 *문어체*에서 사용!)

Es war einmal eine hübsche Prinzessin. Sie lebte ... (동화!)
<해석> 옛날 옛적에 한 예쁜 공주가 *있었다*. 그녀는 ... *살았다*.
► 동화의 시작 부분으로서 "*과거*" 시제가 사용됨 :
sein('있다') - war - gewesen : 과거형 war가 어미변화 함! 주어가 es → *Es* war_ ...
leb*en*('살다') - leb*te* - *ge*leb*t* : 과거형 leb*te*가 어미변화 함! 주어가 sie('그녀는') → *Sie* leb*te*_ ...

3. 동사 *sein* , *haben* 및 화법조동사 *können* , *müssen* , *wollen* , *dürfen* ...은 구어체에서도 일반적으로 "*과거*" 시제가 사용된다.

Letzte Woche konnte ich leider nicht zu dir kommen. Ich hatte Fieber und war den ganzen Tag zu Hause.
<해석> 지난 주 나는 아쉽게도 너에게 갈 수 *없었어*. 나는 열이 *많았고*, 그래서 온종일 집에 *있었어*.
► können - konnte - gekonnt :
과거형 konnte가 어미변화 함! 주어가 ich → ... konnte_ *ich* ...
haben - hatte - gehabt :
과거형 hatte가 어미변화 함! 주어가 ich → *Ich* hatte_ ...
sein - war - gewesen :
과거형 war가 어미변화 함! 주어가 ich → ... und (*ich*) war_ ...

기초 문제

I. 주어진 동사의 "과거" 시제 형태는?

1. haben : ich _____ / du _____ / er _____ / wir ______ / ihr _____ / sie (Sie) ______
2. sein : ich _____ / du _____ / er _____ / wir ______ / ihr _____ / sie (Sie) ______
3. können : ich _____ / du _____ / er _____ / wir ______ / ihr _____ / sie (Sie) ______
4. müssen : ich _____ / du _____ / er _____ / wir ______ / ihr _____ / sie (Sie) ______
5. wollen : ich _____ / du _____ / er _____ / wir ______ / ihr _____ / sie (Sie) ______
6. dürfen : ich _____ / du _____ / er _____ / wir ______ / ihr _____ / sie (Sie) ______
7. sollen : ich _____ / du _____ / er _____ / wir ______ / ihr _____ / sie (Sie) ______
8. mögen : ich _____ / du _____ / er _____ / wir ______ / ihr _____ / sie (Sie) ______
9. leben : ich _____ / du _____ / er _____ / wir ______ / ihr _____ / sie (Sie) ______

II. sein 또는 haben의 "과거" 시제 형태는?

1. Gestern ________ er den ganzen Tag in der Bibliothek.
2. Wir ________ gestern Besuch.
3. Ich ________ faul in der Schule, aber ich ________ viele Freunde.
4. Welche Fächer ________ Sie in Ihrer Schulzeit?
5. Wo ________ du gestern Vormittag? ________ du schon an der Uni?
6. ________ du schon damals eine Freundin? Erzähl doch mal!

III. können, müssen, wollen, dürfen의 "과거" 시제 형태는?

1. Frau Müller w______ in einer anderen Stadt arbeiten.
2. K______ er ein Zimmer im Studentenwohnheim bekommen? - Nein, dort war kein Zimmer mehr frei.
3. Frau Klage m______ gestern 3 Stunden länger im Büro bleiben.
4. Ich w______ sofort losfahren, aber ich k______ nicht. Mein Wagen war kaputt.
5. Warum seid ihr am Samstag nicht gekommen? - Wir k______ leider nicht kommen. Wir hatten Besuch.
6. Die Kinder d______ gestern nicht ins Kino gehen. Ihre Eltern waren dagegen. Sie m______ den ganzen Tag zu Haus bleiben.
7. Ist er lange bei dir geblieben? - Nein, er m______ früh nach Haus.
8. Warum bist du eigentlich nicht verheiratet? - Heiraten? Nein, das w______ ich nie.

【91】 Ich war sehr müde; ich bin sofort eingeschlafen und erst zwei Stunden später wieder aufgewacht.

<해석> 나는 매우 피곤했다. (그래서) 나는 곧바로 잠들었고 두 시간 후에서야 비로소 다시 깨어났다.

- 세미콜론(;) 뒤 문장은 앞 문장과 *일정한 의미관계*를 이룸! 예문의 경우, 뒤 문장이 앞 문장에 대한 '귀결'임.

【92】 Die Feier war sehr schön: Wir haben zusammen getanzt und uns sehr gut unterhalten.

<해석> 그 파티는 아주 좋았다. 우리는 함께 춤추었고 아주 즐겁게 이야기를 나누었다.

- 콜론(:) 뒤에는 앞 문장에 대한 *구체적 설명*이 나옴!

【93】 Sie hat mir gestern von ihrer Kindheit in Russland erzählt. Das war sehr interessant.

<해석> 어제 그녀는 러시아에서 보낸 자신의 유년 시절에 대해 나에게 이야기했다. 그것은 아주 흥미 있었다.

- 형태가 *er-* 인 동사의 pp형은 *ge- 탈락* :
  *er*zähl*en* '...을 이야기하다' - *er*zähl*te* - *er*zähl*t* (← zähl*en* '...을 세다, 헤아리다' - zähl*te* - *ge*zähl*t*)
- 형태가 *-heit* 혹은 *-keit*인 명사는 모두 *여성*이며 복수형은 *-en* 임 :
  die Kindheit 어린 시절 / *die* Gesundheit 건강 / *die* Freundlichkeit 친절 / *die* Möglichkeit 가능성
  <참고> *여성*명사 어미 : *die* Universität / *die* Polizei / die Wirtschaft / die Nation (Pension, Religion)

【94】 Er wollte mir etwas Teures zum Geburtstag schenken, aber das konnte ich nicht annehmen.

<해석> 그는 생일에 뭔가 비싼 것을 나에게 선물하려고 했지만, 그것을 나는 받을 수 없었다.

- 부정대명사 *etwas* 및 *nichts*를 수식하는 형용사는 *뒤에* 위치하며 어미 *-es* 가 붙음. (*대문자* 표기!)
  teuer '비싼' → etwas Teur*es* (Teueres 아님!) / wichtig '중요한' → etwas Wichtig*es*
  billig '값싼' → nichts Billig*es* / neu '새, 새로운' → nichts Neu*es*

【95】 Diese schwere Arbeit musste er ganz allein machen. Niemand hat ihm geholfen.

<해석> 이 힘든 일을 그는 홀로 해야 했다. 아무도 그를 도와주지 않았다.

- 부정대명사 *niemand* '아무도 ...않다' (영. nobody) ↔ *jemand* '누군가' (영 somebody)

【96】 Gestern Abend war ich zu müde. Daher habe ich den Film nicht mehr zu Ende sehen können.

<해석> 어제 저녁 나는 너무 피곤했다. 그래서 나는 더 이상 그 영화를 끝까지 볼 수 없었다.

- 화법조동사는 보통 "*과거*" 시제가 사용되지만, 간혹 "*현재완료*" 시제가 사용되기도 함!
  과거 : Er konnte nicht nach Haus *kommen*.
  → 현재완료 : Er hat nicht nach Haus *kommen können*. (동사 원형 *있을* 경우 pp형은 *원형*, 즉 *können* 임!)
  과거 : Er konnte nicht nach Haus.
  → 현재완료 : Er hat nicht nach Haus *gekonnt*. (동사 원형 *없을* 경우 pp형은 *ge-t* 형태, 즉 *gekonnt* 임!)

심화 문제

I. 동사 sein 또는 haben의 알맞은 형태를 적으시오.

1. Wie _______ das Wetter gestern? - Es _______ sehr warm. Wir _______ 30 Grad.
2. _______ Sie Herrn Klein gesehen? - Der _______ eben hier.
3. Paul _______ einen Unfall. Er muss mindestens eine Woche im Krankenhaus liegen.
4. Die Eltern des Jungen _______ früher einen kleinen Laden. Heute _______ sie einen großen Supermarkt.
5. Ich _______ dich schon gestern besuchen wollen, aber ich konnte nicht, denn ich musste zu Hause noch viel arbeiten.
6. _______ du am letzten Wochenende auf Werners Party? - Ich _______ nicht dort. Ich _______ zu viel Arbeit.
7. _______ du früher gute Noten in der Schule? - Ach nein, ich _______ ein schlechter Schüler.
8. _______ du diese Bücher schon gelesen? - Nein, noch nicht. Sind die interessant?
9. Die Studenten mussten im Regen auf den Bus warten; sie _______ ganz nass geworden.
10. _______ Sie schon einmal in Deutschland? - Ja, ich _______ schon oft da gewesen.
11. _______ Sie schon die Nachrichten gehört? - Ja, aber es gab nichts Neues.
12. Auf dem alten Foto _______ ich meine Mutter nicht sofort erkannt. Damals _______ sie noch jung und hübsch.

II. 괄호 안에 주어진 동사의 알맞은 형태는? (“현재완료” 혹은 “과거” 시제)

Gestern ______(sein) wirklich ein blöder Tag! Am Morgen ______ der Wecker nicht __________(klingeln); die Batterie __________(sein) leer. Ich __________ nicht __________(frühstücken) und ______ zu spät in die Schule ________(kommen). Im Unterricht ______(haben) ich großen Hunger, aber ich ______(müssen) bis zur Pause warten. Dann ______ ich schnell zwei Brote und einen Apfel __________(essen). Danach ______(haben) ich Bauchschmerzen. Im Englischunterricht ______ wir einen Test __________(schreiben), aber ich ______(wissen) viele Vokabeln nicht. Ich ______ eine Vier __________(bekommen). Am Nachmittag ______(wollen) ich zu Claudia, aber ich ______(dürfen) nicht, denn Mama ______(sein) ärgerlich wegen der Vier in Englisch. Claudia ______ lange auf mich __________(warten). Ich ______ sie nicht __________(anrufen)! Ich ______ es einfach __________(vergessen). Es ______(sein) so ein blöder Tag. Jetzt ist auch Claudia ärgerlich über mich.

마무리 문제

I. 괄호 안의 낱말을 사용하여 독일어로 옮기시오.

1. 어릴 때 그는 선생님이 되려고 했어. 왜 선생님이 안 됐지?
   (er, Kind, als, werden, der Lehrer, wollen) (warum, der Lehrer, nicht, werden)

   ____

2. Ute가 네게 전화하려고 했잖아. 그녀가 벌써 전화했니?
   (Ute, dich, anrufen, doch, wollen) (sie, schon anrufen)

   ____

3. 유감스럽게도 제 딸이 오늘 수업에 참가할 수 없었습니다. 열이 있었습니다.
   (mein-, die Tochter, leider, heute, nicht, der Unterricht, an, teilnehmen, können)
   (das Fieber, haben)

   ____

4. 어제 너는 어디에 있었니? - 나는 내 여자 친구와 함께 영화관에 갔었어.
   (du, wo, gestern, sein) (ich, mein-, Kino, Freundin, ins, mit, gehen)

   ____

II. 잘못된 부분(들)을 고쳐서 다시 적으시오.

1. Gestern wart er zu Hause; er hattet hohes Fieber.

   ____

2. Es war einmal ein König. Er hat drei Töchter gehabt.

   ____

3. Als Kind wolltet er Arzt werden. Er wurde aber Lehrer geworden.

   ____

4. Früher haben sie einen kleinen Laden. Sie hatten heute ein großes Restaurant.

   ____

5. Früher konnten man in diesem Fluss schwimmen. Heute wart es verboten.

   ____

6. Es war einmal ein kleiner Junge, die hatte nicht Eltern mehr.

   ____

7. Hoffentlich bringt unser Vater schönes etwas mit!

   ____

8. Kannst du Japanisch? - Nein, ich habe noch nie Japanisch lernen gekonnt.

   ____

Lektion 17

종속접속사 (부문장)

1. 종속접속사

dass '..라는 것', '...라는 사실' (영. that)
weil '...이기 때문에' (영. because)
wenn '만약 ...이면', '...일 경우' (영. when, if)

2. 종속접속사의 용법 : 종속접속사는 "부문장"을 이끈다.

(종속접속사 뒤에 오는 부문장은 *동사가 맨 뒤에 위치*하며(= "후치법"), *콤마*에 의해 구분됨!)

Ich weiß, dass er heute nicht *kommt*.

<해석> 나는 그가 오늘 오지 않는다는 것(사실)을 알고 있다.

▸ 종속접속사 *dass*가 문장 "Er kommt heute nicht."와 결합하여 *부문장*을 구성함. 따라서 동사 kommt가 *후치*되어 맨 뒤에 옴 : ... , *dass* er ... kommt. (종속접속사 dass 앞에는 *콤마*!)

Ich lerne Deutsch, weil ich in Deutschland *lebe*.

<해석> 나는 독일어를 배우는데, 왜냐하면 내가 독일에서 살기 때문이다.

▸ 종속접속사 *weil*이 문장 "Ich lebe in Deutschland."와 결합하여 *부문장*을 구성함. 따라서 동사 lebe가 *후치*되어 맨 뒤에 옴. : ... , *weil* ich ... lebe. (종속접속사 weil 앞에는 *콤마*!)

Wenn man krank *ist*, geht man zum Arzt.

<해석> (사람들은) 아프면, (사람들은) 병원에 간다.

▸ 종속접속사 *wenn*이 문장 "Man ist krank."와 결합하여 *부문장*을 구성함. 따라서 동사 ist가 후치되어 맨 뒤에 옴 : *Wenn* man ... ist , ... (*콤마*로 주문장과 구분!)

▸ *wenn*-부문장이 앞에 나오므로 뒤에 오는 주문장의 어순은 「동사 + 주어」로 *도치*됨 : ... , geht man ...

기초 문제

I. 문장을 완성하시오.

1. Ich glaube nicht, dass ____________________. (Er ist krank.)
2. Findest du, dass ____________________? (Spreche ich zu schnell?)
3. Er sagt, dass ____________________. (Er muss erst zu Hause anrufen.)
4. Hast du vergessen, dass ____________________? (Wir wollten heute in die Stadt.)

5. Schade, dass ______________________________! (Musst du schon gehen?)
6. Ich hoffe, dass ______________________________.
   (Monika vergisst unsere Party heute Abend nicht.)
7. Herr Müller hat angerufen. Ich soll Ihnen sagen, dass ______________________.
   (Er besucht Sie morgen.)

II. 괄호 안에 주어진 문장을 사용하여 밑줄 친 곳을 완성하시오.

1. Weil ______________________________, lerne ich Deutsch. (Ich lebe in Deutschland.)
2. Jana ist vor fünf Jahren nach Deutschland gekommen, weil ______________________.
   (Ihr Mann hat hier eine Arbeit gefunden.)
3. Weil ______________________________, verkauft er es.
   (Das Bild gefällt ihm nicht mehr.)
4. Frau Niggemann hat sich das Fußballspiel nicht angesehen, weil ________________.
   (Sie hat sich nicht dafür interessiert.)
5. Wenn ______________________________, kann man leicht krank werden.
   (Man arbeitet zu viel und schläft zu wenig.)
6. Mein Freund Peter muss in Aachen bleiben, wenn ______________________.
   (Er kann in Köln kein billiges Zimmer finden.)

III. 주어진 종속접속사로 두 문장을 올바르게 연결하시오.

1. (Ich habe das Kleid nicht gekauft.) (Das Kleid ist zu teuer.)
   Weil ______________________________, ______________________________.
2. (Mein Mann freut sich auf den Urlaub.)
   (Mein Mann kann sich dann endlich einmal erholen.)
   ______________________________, weil ______________________________.
3. (Man ist krank.) (Man geht zum Arzt und lässt sich untersuchen.)
   Wenn ______________________________, ______________________________.
4. (Ich bin spät am Abend noch nicht zu Hause.)
   (Meine Eltern machen sich Sorgen.)
   ______________________________, wenn ______________________________.

IV. 괄호 안에 주어진 동사의 알맞은 형태는?

1. Wenn du im Winter wirklich in die Schweiz zum Wintersport fahren ________ (wollen), musst du bald buchen.
2. Warum willst du dich scheiden lassen? - Weil wir uns nicht mehr ________ (verstehen).
3. Hat er sich gefreut, dass du ihn angerufen ________ (haben)? - Nein, im Gegenteil, er hat sich schrecklich geärgert, weil es schon so spät ________ (sein).

【97】 Wenn Sie sich mit der deutschen Literatur beschäftigen möchten, studieren Sie am besten Germanistik.

<해석> 당신이 독일 문학을 다루고 싶으면, 독어독문학을 전공하는 것이 가장 좋습니다.

► 종속접속사 *wenn* (조건) '만약 ...이면, '...일 경우' (영. if, when)
► 「am + 최상급 *-en*」 (부사적) '가장 ...하게' : am best*en* '가장 잘, 최선으로' (← 형용사 gut의 최상급 best)

【98】 Gestern Abend bin ich früh ins Bett gegangen. Obwohl ich furchtbar müde war, bin ich erst nach Mitternacht eingeschlafen.

<해석> 어제 저녁 나는 일찍 잠자리에 들었다. 나는 비록 끔찍하게 피곤했지만 자정 후에야 비로소 잠들었다.

► 종속접속사 *obwohl* (양보) '비록 ...하지만' (영. though, although)
<참고> 위 예문은 부사어 *trotzdem*('그럼에도 불구하고')을 사용하여 동일한 내용을 표현할 수 있음:
Ich war furchtbar müde , *trotzdem* bin ich erst nach Mitternacht eingeschlafen.
(부사어 trotzdem이 앞에 오므로 뒤 문장은 *도치*됨!)

【99】 Da ich Kopfschmerzen hatte, bin ich früh nach Hause gegangen.

<해석> 나는 머리가 아파서 일찍 집에 갔다.

► 종속접속사 *da*('...해서, ...인 까닭에')와 결합하는 부문장은 예문처럼 주로 *주문장 앞에* 나옴!
<참고> da와 유사한 의미를 지니는 종속접속사 *weil*('...이기 때문에') 및 대등접속사 *denn*('왜냐하면')이 있음!
*denn*은 대등접속사이므로 어순은 후치법 아님! 위 예문을 denn을 사용하여 표현하면:
Ich bin früh nach Hause gegangen , *denn* ich hatte Kopfschmerzen. (denn 뒤에 오는 문장은 *정치법*!)

【100】 (In einer Bank) Was kann ich für Sie tun? - Ich habe meine Kreditkarte verloren und möchte wissen, ob ich eine neue bekommen kann.

<해석> (은행에서) 무엇을 도와드릴까요? - (저는 저의) 신용카드를 분실했는데, 제가 새 것을 받을 수 있는지 알고 싶어요.

► 종속접속사 *ob* '...인지 여부' (영. if, whether)
예문에서 부문장 "*ob* ich ... kann" 전체는 동사 wissen의 4격 목적어임!

【101】 Er hat mir gesagt, dass er mich anruft, bevor er abfährt.

<해석> 그는 나에게 떠나기 전에 전화하겠다고 말했다.

► 종속접속사 *bevor* '...하기 전에' (영. before) ↔ 종속접속사 *nachdem* '...한 후에' (영. after)

【102】 Wer hat ihn angerufen? - Ich weiß nicht, wer ihn angerufen hat.

<해석> 누가 그에게 전화했니? - 나는 누가 그에게 전화했는지 모르겠어.

► *의문사*와 결합하는 *부문장*은 명사적 용법을 지님!
(특히 wissen '...을 알다', sagen '...을 말하다', verstehen '...을 이해하다' 등의 목적어로 사용됨.)
예문에서 의문사 wer와 결합한 부문장 "*wer* ... hat"은 동사 weiß의 4격 목적어임!

심화 문제

I. 문장을 완성하시오.

1. Er hat mir gesagt, dass ______________________________. (Er hilft mir.)
2. Können Sie mir sagen, ob ______________________________?
   (Fährt um diese Zeit noch ein Bus?)
3. Sie kriegen keine neuen Bücher mehr, bevor ______________________________.
   (Sie haben die alten Bücher zurückgegeben.)
4. Obwohl ______________________________, ist Jochen schon auf dem Bahnhof.
   (Der Zug fährt erst in einer Stunde ab.)
5. Herr Meier muss zum Arzt, denn ______________________________.
   (Er hat seit Tagen Kopfschmerzen.)
6. Da ______________________________, kann ich heute nicht zum Sport gehen.
   (Ich habe morgen eine Prüfung.)

II. 알맞은 표현을 <보기>에서 선택하시오.

<보기> wann, warum, was, wer, wie, wo, wovon, ob

1. Wo ist hier die Auskunft? - Ich kann Ihnen auch nicht sagen, ________ hier die Auskunft ist.
2. Ich verstehe nicht, ________ du so lange geblieben bist. Du hast doch gesagt, dass es sehr langweilig war.
3. Glaubst du, dass ich nicht weiß, ________ du vorhast? Hältst du mich für so dumm?
4. Können Sie mir sagen, ________ ich am besten zum Bahnhof komme?
5. Bist du sicher, dass du die Briefe auf den Schreibtisch gelegt hast? - Ehrlich gesagt, weiß ich auch nicht, ________ ich sie wirklich auf den Schreibtisch gelegt habe.
6. Ich habe keine Ahnung, ________ er zurückgekommen ist.
7. Ich weiß nicht, ________ er eben geredet hat. - Ich habe auch kein Wort verstanden.
8. Weißt du, ________ diesen Roman geschrieben hat?

III. 괄호 안에 주어진 낱말을 사용하여 같은 의미의 문장을 만드시오.

1. Frau Schmidt hat das Zimmer vermietet, weil sie Geld braucht. (denn)

   ____

2. Obwohl es stark regnet, geht er im Park spazieren. (trotzdem)

   ____

마무리 문제

I. 괄호 안의 낱말을 사용하여 독일어로 옮기시오.

1. 나는 그 원피스가 너무 비싸서 사지 않았다.
   (ich, das Kleid, nicht, es, zu teuer, sein, weil, kaufen)

   ____

2. 그가 언제 도착하는지 아니? - 나도 그가 언제 오는지 몰라.
   (du, er, wann, *an*kommen, wissen)
   (ich, auch, keine Ahnung, haben, wann, er, ankommen)

   ____

3. 네가 여름에 나에게 오면, 함께 바다로 가자.
   (du, im Sommer, ans Meer, zu mir, kommen, wenn, zusammen, fahren)

   ____

4. 한국 전쟁이 발발했을 때, 그는 미국에 있었다.
   (der Koreakrieg, in den USA, ausbrechen, als, er, sein)

   ____

5. 그들은 결정을 내리기 전에 항상 오랫동안 토론한다.
   (sie, eine Entscheidung treffen, bevor, immer, lange, diskutieren)

   ____

II. 잘못된 부분(들)을 고쳐서 다시 적으시오.

1. Wenn ich in die Schule kam, war ich sechs Jahre alt.

   ____

2. Trotzdem sie erkältet war, ging sie zur Arbeit.

   ____

3. Er konnte nicht kommen, denn er krank war.

   ____

4. Bist du sicher, ob er morgen kommt? - Ja, ich bin ganz sicher.

   ____

5. Als er samstags zu uns kam, haben wir immer Karten gespielt.

   ____

6. Du kannst deine Freunde treffen, nachdem du deine Hausaufgaben machst.

   ____

Lektion 18

zu +동사 원형 (= "zu-부정사")

1. zu-부정사의 형태 : 「 , ... zu 동사 원형」 (영. "to 부정사")

... , früh nach Hause zu kommen.

► 동사 원형 kommen이 zu와 결합하여 *맨 뒤에* 옴 : ... , ... zu *kommen*.
동사 원형 kommen과 관련된 요소들, 즉 부사어 "früh nach Hause"는 zu *앞에* 위치함. (zu-부정사 전체는 항상 *콤마*로 구분함!)

※분리동사 *an*kommen : ... , früh zu Hause *an*zukommen.

► zu가 분리전철 *an-* 과 기본 동사 -kommen 사이에 위치함!

2. zu-부정사의 용법

(1) *명사*적 용법 ('*...하는 것*') : 동사의 목적어 등으로 사용됨.
Wir müssen versuchen, unsere Kinder zu *verstehen*.
<해석> 우리는 *우리의 아이들을 이해하는 것을* 노력해야 한다.
► zu-부정사 "unsere Kinder zu verstehen"은 동사 versuchen('...을 노력하다')의 4격 목적어임!

(2) *형용사*적 용법 ('*...하는, ...할*') : 앞의 명사를 설명・수식함.
Ich habe keine Zeit, ins Kino zu *gehen*.
<해석> 나는 *영화관에 갈* 시간이 없다.
► zu-부정사 "ins Kino zu gehen"은 앞에 나온 명사 Zeit('시간')를 설명・수식함!

(3) *부사*적 용법 : 동사 혹은 앞의 문장을 설명・수식함.
Ich bin gekommen, um dir zu *helfen*.
<해석> 나는 *너를 돕기 위해서* 왔다.
► 「... , um ... zu 동사 원형」 (목적) '...하기 위하여'
zu-부정사 "um dir zu helfen"은 앞 문장의 내용 '나는 왔다'의 목적을 설명함!

기초 문제

I. 괄호 안에 주어진 문장을 zu-부정사로 바꾸시오.

1. Linda hofft, ______________________________. (Sie besteht die Prüfung.)
2. Man muss versuchen, ____________________. (Man versteht die jungen Leute.)
3. Er hat seiner Tochter vorgeschlagen, ____________________. (Sie wird Ärztin.)
4. Wir haben vor, ____________________. (Wir nehmen an einem Tanzkurs teil.)
5. Ich freue mich, ______________________. (Ich darf heute hier bei euch sein.)

6. Ich freue mich, ______________________________.
   (Ich habe Sie heute Abend endlich kennen gelernt.)
7. Bevor meine Mutter anfängt, ______________________, muss ich noch schnell was einkaufen. (Sie macht das Mittagessen.)
8. Ich habe ganz vergessen, ______________________________.
   (Ich gehe in die Stadt und kaufe ein Geschenk für meinen Sohn.)
9. Frau Zimmermann möchte sich gern mit ihrem Nachbarn unterhalten. Leider hat sie aber keine Zeit, ______________________. (Sie unterhält sich mit ihm.)
10. Jan geht in sein Zimmer zurück, weil er keine Lust mehr hat, ____________ ____________. (Er redet mit den Kollegen.)

II. zu-부정사를 사용하여 표현하시오.

1. Sascha hat versprochen, ... (Er ruft mich morgen an.)

   ____

2. Franka hat keine Lust, ... (Sie möchte nicht schwimmen gehen.)

   ____

3. Ingo hat keine Zeit, ... (Er kann sich nicht um seine kleine Schwester kümmern.)

   ____

III. 「um ... zu 동사 원형」을 사용하여 두 문장을 연결하시오.

1. Er fährt zum Bahnhof. Er will seine Freundin abholen.

   ____

2. Wir sparen Geld. Wir wollen im Frühling eine Reise machen.

   ____

3. Ich muss mich beeilen. Ich möchte den Zug noch erreichen.

   ____

IV. 밑줄 친 zu-부정사의 용법을 설명하시오.

1. Peter ist gekommen, <u>um mit Thomas zu reden</u>, aber der war nicht zu Haus.
2. Ich hatte vor, <u>ihn einzuladen</u>, und dann habe ich es doch ganz vergessen.
3. Hier ist die Speisekarte. Möchten Sie vielleicht schon etwas <u>zu trinken</u> bestellen? - Ja, ich möchte einen Orangensaft.
4. Es fängt an <u>zu regnen</u>.
5. Ich habe keine Lust <u>auszugehen</u>. Ich bleibe lieber zu Haus.

【103】 Vergiss nicht, Herrn Kahn einzuladen! Ich habe ihm versprochen, ihm Frau Ebert auf unserer Party vorzustellen.

<해석> 칸씨를 초대하는 것 잊지 마라! 내가 그 사람에게 우리 파티에서 Ebert 부인을 소개해주겠다고 약속했거든.

► vergessen '...을 잊다, 망각하다' : du vergiss*t* ; er vergiss*t* → 따라서 du-명령문 : Vergiss ... !

【104】 Eben hat Franz angerufen. Er hat mich gebeten, dir zu sagen, dass er leider erst eine Stunde später kommen kann.

<해석> 방금 프란츠가 전화했어. 그는 나에게 부탁했어, 자기가 한 시간 후에야 올 수 있다는 것을 너에게 말해달라고.

► 「bitten + 4격 , ... zu 동사 원형」 '*4격*에게 ...해줄 것을 부탁하다'
<참고> 「bitten + 4격(= 사람) + um + 4격」 '*누구*에게 ...을 부탁하다'

【105】 Du brauchst keine Angst vor dem Hund zu haben. Er beißt keine Dummköpfe.

<해석> 너는 그 개를 두려워할 필요가 없어. 그 개는 바보들은 물지 않아.

► 타동사 brauchen '...을 필요로 하다' (영. need, demand)
⇒ 「brauchen ... *nicht* (혹은 *kein-*) ... zu 동사 원형」 '...할 필요 없다' (= 화법조동사 müssen의 *부정문*)
► 「Angst *vor* + 3격」 '...에 대한 두려움'
<참고> 「Interesse *an* + 3격」 '...에 대한 관심' / 「Sorge*n* *um* + 4격」 '...에 대한 염려' (복수형 Sorge*n* 사용!)

【106】 Kennen Sie Helmuts Eltern schon? - Nein, aber ich freue mich schon darauf, sie kennen zu lernen.

<해석> 당신은 헬무트의 부모님을 이미 아시나요? - 아니요, 하지만 나는 그들을 알게 될 것에 대해서 벌써 기뻐하고 있어요.

► "da(*r*) +전치사"는 뒤에 오는 *zu-부정사* 혹은 *dass-부문장* 등을 받을 수 있음!
예문의 da*r*auf는 뒤에 오는 zu-부정사 "sie kennen zu lernen"을 받음.

【107】 Warum hast du nur so wenige Leute eingeladen? - Es war leider nicht möglich, mehr Leute einzuladen.

<해석> 너는 사람들을 왜 그렇게 적게 초대했니? - 유감스럽게도 사람들을 더 초대하는 것이 불가능했어.

► 비인칭 주어 *es* (= "가주어")는 뒤에 오는 *zu-부정사* 혹은 *dass-부문장* 등을 받을 수 있음!
예문의 Es는 뒤에 오는 zu-부정사 "mehr Leute *ein*zuladen"을 받음. (영. "it-to 강조 구문")

【108】 Da kann man nichts machen. Dieses Problem ist nicht zu lösen.

<해석> 이것은 어쩔 수 없다. (= 그 점에 있어서 우리는 아무것도 할 수 없다.) 이 문제는 해결될 수 없다.

► 「*sein* ... zu 동사 원형」 (관련 문맥에 따라) 1. (수동의 가능) '...*될 수 있다*' ; 2. (수동의 의무) '...*되어야 한다*'
「*haben* ... zu 동사 원형」 '...*해야 한다*' (= 화법조동사 müssen) (영. have to)

심화 문제

I. 동사 brauchen을 사용하여 동일한 내용을 표현하시오.

1. Die Kinder müssen heute nicht früh ins Bett gehen.

____

2. Du musst mich nicht am Flughafen abholen.

____

II. 「um ... zu +부정사」 또는 종속접속사 damit을 사용하여 두 문장을 결합하시오.

1. Ich kaufe mir ein Fahrrad. Ich will damit zur Arbeit fahren.

____

2. Frau Müller ist zum Arzt gegangen. Sie wollte sich untersuchen lassen.

____

3. Beeil dich bitte! Wir dürfen den Zug nicht verpassen.

____

III. 알맞은 「da(r) + 전치사」 는?

1. Ich habe gar nicht _______ gedacht, Sie am Flughafen abzuholen.
2. Achte bitte _______, diesen Fehler nicht zu wiederholen.
3. Ich freue mich _______, dass du die Stelle bekommen hast.
4. Ich habe ihn _______ gebeten, mir dabei zu helfen.
5. Er kann sich nicht _______ erinnern, wann seine Freundin Geburtstag hat.

IV. 「sein ... zu +부정사」 구문으로 바꾸시오.

1. Man kann diesen Mann einfach nicht verstehen. ⇒ ______________________
2. Man kann diese Tür nicht mehr öffnen. ⇒ ______________________
3. Dieser Ausdruck ist nur schwer übersetzbar. ⇒ ______________________

V. 밑줄 친 es 의 용법을 설명하시오.

1. Es macht mir viel Spaß, zusammen mit ihm spazieren zu gehen.
2. Es fängt an zu regnen.
3. Gibt es einen Aufzug in dem Haus? Es ist mir zu anstrengend, jeden Tag die Treppen hochzusteigen.
4. Wir wandern nach Amerika aus, damit es unsere Kinder einmal besser haben.
5. Die meisten Leute halten es für normal, dass der Mann berufstätig ist und die Frau für den Haushalt sorgt.

마무리 문제

I. 괄호 안의 낱말을 사용하여 독일어로 옮기시오.

1. 나는 오늘 독일어를 공부하고 싶은 생각이 없다.
   (ich, heute, Deutsch, lernen, zu, kein-, Lust, haben)

   ____

2. 나는 오늘 그와 이야기할 기회가 없었다.
   (ich, heute, er, mit, sprechen, zu, die Gelegenheit, haben)

   ____

3. 나는 공무원 시험을 볼 작정이다.
   (ich, die Beamtenprüfung, machen, vorhaben)

   ____

4. 집에 가기 전에 컴퓨터를 끄는 것을 잊지 마라.
   (nach Hause, gehen, bevor, der Computer, nicht, ausschalten, zu, vergessen)

   ____

5. 나의 부모님께서는 내가 혼자 여행 떠나는 것을 허락하지 않으신다.
   (mein-, die Eltern, ich, nicht, allein, verreisen, zu, erlauben)

   ____

6. 감기에 걸리지 않도록 두꺼운 외투를 입어라.
   (sich erkälten, nicht, damit, dick, der Mantel, $sich^3$ anziehen)

   ____

II. 잘못된 부분(들)을 고쳐서 다시 적으시오.

1. Sie brauchen diesen Kurs nicht wieder zu holen.

   ____

2. Ich freue mich, Sie zu helfen können.

   ____

3. Ansgar passt heute auf die Kinder auf, um ich ins Kino gehen zu können.

   ____

4. Denk bitte, ihn anzurufen!

   ____

5. Dieses Ziel ist man nicht zu erreichen.

   ____

Lektion 19

지시대명사 / 부정대명사

1. 지시대명사 *der*, *die*, *das* ...

인칭대명사 er, sie, es 와 마찬가지로 앞에 나온 명사를 받음.
("정관사 *d*- + 명사"에서 명사를 생략한 축약형으로 볼 수 있음!)

Hast du *mein Wörterbuch* gesehen? - Das (= Es) lag eben noch hier.
<해석> 너는 나의 사전을 보았니? - *그것은* 방금 전까지만 해도 여기 있었어.
► 앞에 나온 *중성*명사 Wörterbuch을 받으며, 동사 lag의 *주어*이므로 *중성 1격*의 Das가 옴!
("Das Wörterbuch"에서 명사 Wörterbuch를 생략한 축약형!)

Kennst du *den Mann* dort? - Ja, den (= ihn) kenne ich.
<해석> 너는 저기 있는 남자를 아니? - 응, *그를* 나는 알아.
► 앞에 나온 *남성*명사 Mann을 받으며 동사 kenne의 *4격* 목적어이므로 *남성 4격*의 den이 옴! ("den Mann"에서 명사 Mann을 생략한 축약형!)

2. 부정대명사 ein*er*, eine, ein*s* ... / kein*er*, keine, kein*s* ...

앞에 나온 명사를 받음. ("ein- + 명사" 및 "kein- + 명사" 에서 명사를 생략한 축약형으로 볼 수 있음!)

Suchst du *eine Sonnenbrille*? - Ja, ich suche ein*e*.
<해석> 너는 선글라스를 찾고 있니? - 응, 나는 (*그것을*) *하나* 찾고 있어.
► 앞에 나온 *여성*명사 Sonnenbrille를 받으며, 동사 suche의 *4격* 목적어이므로 *여성 4격*의 ein*e* 가 옴! ("ein*e* Sonnenbrille"에서 명사 Sonnenbrille를 생략한 축약형!)

Ich brauche *einen Spiegel*. Hast du vielleicht ein*en*? - Nein, leider habe ich kein*en*.
<해석> 나는 거울이 필요해. 너 혹시 (*그것을*) *하나* 가지고 있니?
- 아니, 유감스럽게도 나는 (*그것을*) *하나*도 가지고 있지 *않아*.
► 부정대명사 ein*en*은 "ein*en* Spiegel"의 축약형! / 부정대명사 kein*en*은 "kein*en* Spiegel"의 축약형!

※ *남성 1격*은 ein*er* / kein*er* 이며, *중성 1, 4격*은 ein*s* / kein*s* 임!

Hast du mal *einen Stift* für mich? - Ja, hier ist ein*er*.
<해석> 필기도구 하나 있니? - 응, 여기 *하나* 있어.
► *남성 1격*의 "ein Stift"에서 명사를 생략한 ein 이 아니라 ein*er* 임!

Ich brauche *ein Feuerzeug*. Hast du ein*s* ? - Nein, ich habe kein*s*.
<해석> 나는 라이터를 필요로 해. 너 있니? - 아니, 없어.
► *중성 4격*의 "ein / kein Feuerzeug"에서 명사를 생략한 ein 및 kein 이 아니라 ein*s* 및 kein*s* 임!

기초 문제

I. 밑줄 친 곳에 알맞은 어미는?

1. Wie findest du diese Hose? - D___ gefällt mir ganz gut.
2. Wie gefällt dir Anja? - D___ kann ich überhaupt nicht leiden.
3. Wo sind die Damen? - D___ sind schon in den Garten gegangen.
4. Wo ist mein Kuli? - D___ liegt auf deinem Schreibtisch.
5. Hast du deinen Schlüssel gefunden? - Nein, d___ habe ich noch nicht gefunden.
6. Das sind meine Freunde. D___ sind alle nett.
7. Wo ist deine Brille? - Oh, d___ habe ich vergessen.
8. Kann man diesen Fernseher noch reparieren? - Nein, d___ ist nicht mehr zu reparieren.

II. 밑줄 친 곳에 알맞은 어미는?

1. Haben Sie hier ein___ Tasche gesehen? - Ja, dort liegt ein___.
2. Hast du noch Geld? - Nein, ich habe kein___ mehr.
3. Wir brauchen noch ein___ Stuhl. Hol bitte ein___ aus der Küche!
4. Kaufen wir die Lampe? - Ja, wir brauchen unbedingt ein___.
5. Gibt es hier auch Ledersofas? - Nein, hier gibt es kein___.
6. Wählen Sie ein___ von den beiden Bildern!
7. Gestern hatte er noch hohes Fieber. Heute hat er kein___ mehr.

III. 지시대명사 der, das, die...? 혹은 부정대명사 (k)einer, (k)eine, (k)eins...?

1. Kennst du den Mann dort? - Nein, ________ kenne ich nicht.
2. Hast du die Männer getroffen? - Nein, ich habe ________ von ihnen getroffen.
3. Wenn die Geschäfte zu sind, können Sie sich Zigaretten aus einem Automaten holen. Da vorne an der Ecke ist ________.
4. Möchtest du noch ein Stück Kuchen? - Nein, ich möchte ________ mehr. Ich bin schon satt.
5. Haben Sie daran gedacht, den Brief zur Post zu bringen? ________ ist sehr wichtig.
6. Nina, hast du denn schon ein Fahrrad? - Ja, seit ein paar Wochen habe ich _______. ________ habe ich von meinen Eltern zum Geburtstag bekommen.
7. Ist Stefan da? - Nee, ________ ist vor einer halben Stunde zum Essen gegangen. Komm doch in etwa einer Stunde wieder! Dann ist er bestimmt zurück.

【109】 Was für eine Postkarte nehmen wir? - Das ist mir egal, nimm irgendeine!

<해석> 어떤 종류의 우편엽서를 살까? - 나에게는 상관없어, 아무거나 하나 사!

► 「was für ein- + 명사」 '어떤 종류의...?' (영. what kind of?)
이 경우 ein-은 *부정관사*에 해당함 : 예문에서 명사 Postkarte는 *여성 4격*이므로 Was für ein*e* Postkarte ...?
※ 「was für ein- + 명사」 의 ein-은 부정관사에 해당하므로 *셀 수 없는 명사*나 *복수형*이 올 경우 생략됨 :
Was für Musik? (*추상*명사 '음악') / Was für Käse? (*물질*명사 '치즈') / Was für Blume*n*? (*복수*명사 '꽃들')

► 부정대명사 ein- , etwas , jemand ...의 앞에 *irgend-* 가 붙으면 '아무거나'라는 의미가 강조됨!
*irgend*ein- '그 뭔가 하나의 ...' / *irgend*etwas '그 뭔가' (= '뭐든지') / *irgend*jemand '그 누군가' (= '아무나')

【110】 Ich habe ein neues Auto. - Was für eins hast du denn?

<해석> 나는 새 자동차가 있어. - 어떤 종류를 가지고 있는데?

► 「was für ein- 」 뒤에 명사가 *없을* 경우 ein-은 *부정대명사*에 해당함!
예문에서 ein*s* 는 앞에 나온 *중성*명사 Auto를 받으며, 동사 haben의 *4격* 목적어로서 *중성 4격*임!
즉, "Was für ein*s* "는 "Was für ein Auto"의 축약형!

【111】 Ich habe meinen MP3-Player verloren. - Hier unter der Zeitung liegt einer. Ist das vielleicht Ihrer? - Ja, das ist meiner. - Heutzutage hat wohl jeder einen. - Viele haben einen, aber noch nicht alle.

<해석> 나는 내 MP3 플레이어를 분실했어요. - 여기 신문 밑에 하나가 있는데. 이것 혹시 당신 것입니까? - 예, 제 것입니다. - 요즘은 아마도 모두가 하나쯤은 가지고 있는 것 같아요. - 많은 사람들이 가지고 있지만, 아직 모든 이들이 그런 것은 아니에요.

► 소유대명사 mein- , dein- , Ihr- ...의 뒤에 명사가 없을 경우 부정대명사 ein- 처럼 어미변화 함 :
예문의 Ihr*er* 및 mein*er* 는 앞의 *남성*명사 MP3-Player를 받으며, 동사 ist의 *주격* 보어이므로 *남성 1격*임.

► 부정대명사 jeder '각자, 모든 이' (영. each one, everyone)
<참고> 「jed- + 명사」 '각 ...', '모든 ...' (jed-는 *정관사 d-* 어미변화, *단수*명사와 결합!) (영. every, each)

► viel*es* '많은 것' (단수) / viel*e* '많은 사람들' (복수) ; all*es* '모든 것' (단수) / all*e* '모든 사람들' (복수)

【112】 Welcher Bus fährt zum Rathaus? Linie 3 oder 5?

<해석> 어떤 버스가 시청으로 가지? 3번 아니면 5번

► 「welch- + 명사」 '어떤 ...?' (welch-는 *정관사 d-* 어미변화!) (영. which?)
예문에서 welch- 뒤에 오는 명사 Bus가 *남성*이며, *주어*이므로 *남성 1격*임. 따라서 Welch*er* Bus ...?

【113】 Hier ist ein blaues Hemd und hier ist ein weißes. Welches gefällt Ihnen besser? Dieses oder Jenes?

<해석> 여기 파란 셔츠가 있고, 여기는 흰 것이 있어요. 어느 쪽이 당신 마음에 더 드나요? 이것 아니면 저것?

► welch-는 뒤에 명사 없이 올 수 있음 : 앞의 *중성*명사 Hemd를 받으며, *주어*이므로 *중성 1격*의 Welch*es* ...?

► 지시대명사 dies-('이 ...'), jen-('저 ...')은 *정관사 d-* 어미변화!
예문에서는 뒤에 명사 없이 옴 : 앞의 *중성*명사 Hemd를 받으며, *주어*이므로 *중성 1격*의 Dies*es* oder jen*es*.

심화 문제

I. 밑줄 친 곳에 알맞은 의문사 표현은?

1. __________ Lexikon ist das? - Das ist meins.
2. __________ gehört der blaue Pullover hier? - Der gehört mir. (Das ist meiner.)
3. __________ Tasche suchen Sie? - Eine große Ledertasche.
4. __________ ist dieser Brief? - Der ist für mich.
5. __________ Blume gefällt dir besser? Die hier oder die da?
6. __________ Musik hörst du gern? - Ich höre gern klassische Musik.

II. 밑줄 친 곳에 알맞은 형태는?

1. Gib mir bitte die Blume! Das ist mein___.
2. Mit welch___ Hand schreibst du, mit der rechten oder mit der linken?
3. Ich habe kein___ Handy. Kann ich dein__ kurz haben?
4. Was für ein___ Mensch ist er? - Er ist sehr höflich und bescheiden.
5. Er braucht ein___ dick___ Pullover. Sein___ ist zu dünn.
6. Was für ein___ schrecklich___ Wetter! Schnee im April!

III. 지시대명사 der, die, das ...? 혹은 부정대명사 (k)einer, (k)eine, (k)eins ...?

1. Wie gefällt dir der Mantel hier? Du wolltest doch ________ kaufen. - Ja, aber jetzt brauche ich ________ mehr. Der Winter ist schon fast vorbei.
2. Haben Sie keinen Zettel auf dem Schreibtisch gesehen? - Doch, ________ habe ich Herrn Meier gegeben.
3. Die Fotos sind sehr hübsch. Möchten Sie _______? - Nein, mir gefällt _______ davon.

IV. <보기>에서 알맞은 표현을 선택하시오.

<보기> man, etwas, nichts, jemand, niemand

1. Muss ich Herrn Kim etwas davon sagen? - Nein, Sie brauchen ihm ______ zu sagen.
2. Bevor ________ über die Kreuzung geht, muss ________ zuerst nach links und dann nach rechts sehen.
3. Was hat er gesagt? Hast du vielleicht ________ verstanden? - Nein, ich habe auch ________ verstanden.
4. Ist da ________? - Nein, da ist ________.
5. Liebe Karin, wie geht's dir? Ich habe lange ________ von dir gehört.

마무리 문제

I. 괄호 안의 낱말을 사용하여 독일어로 옮기시오.

1. 이 양복 어때? - 그것은 내 마음에 들어.
   (du, dieser Anzug, wie, finden) (d-, ich, gefallen)

   ____

2. 저기 있는 여자 알아? - 응, 알아. 마이어 씨야.
   (du, dort, Frau, kennen) (ich, ja, d-, kennen) (das, Frau Meier, sein)

   ____

3. 이것이 네 우산이니? - 아니, 그것은 내 것이 아냐. 그것은 프랑크 것이야.
   (das, dein Schirm, sein) (nein, d-, mein-, nicht, sein) (d-, Frank, gehören)

   ____

4. 누가 내 열쇠 봤어? - 여기 하나 있는데. 이것이 네 것이니?
   (jemand, mein Schlüssel, sehen) (ein-, hier, liegen) (das, dein-, sein)

   ____

5. 그가 그 시험에 합격했다. 얼마나 좋은 소식인가!
   (er, die Prüfung, bestehen) (was für ein-, gut, Nachricht)

   ____

6. 어떤 버스로 가니? - 18번.
   (du, welcher Bus, mit, fahren) (die Nummer 18, mit)

   ____

II. 잘못된 부분(들)을 고쳐서 다시 적으시오.

1. Was für einen Menschen ist er? - Er ist ein sehr arroganter Typ.

   ____

2. Siehst du die Kirche dort? - Ja, das siehe ich.

   ____

3. Hast du niemanden gesehen? - Nein, ich habe jemanden gesehen.

   ____

4. Außer Ihnen darf das keins wissen. - Das wissen doch schon alles.

   ____

5. Ich habe zwei Brüder. Ein ist schon verheiratet.

   ____

Lektion 20

형용사 비교

1. 형용사 비교형

(1) 규칙 변화 : 원급 - 비교급 (-*er*) - 최상급 (-*st*)

schnell - schnell*er* - schnell*st*

interessant - interessant*er* - interessant*est* / wild - wild*er* - wild*est*

► 형태가 *-t* , *-d* 일 경우 최상급에서 발음상 -e- 첨가!

lang - läng*er* - läng*st* / alt - ält*er* - ält*est*

► 모음이 a , o , u 하나일 경우 변모음(Umlaut) 됨!

(2) 불규칙 변화

gut - *besser* - *best* / viel - *mehr* - *meist* / ...

2. "비교급" 비교 : 「비교급 als A」 'A보다 더 ...한'

Der Film ist interessant*er* als das Buch.

<해석> 영화가 책*보다 더 재미있다.*

► 비교급 interessant*er*('더 흥미로운')가 동사 ist의 형용사 보어임!

Köln ist eine ält*ere* Stadt als Berlin.

<해석> 쾰른은 베를린*보다 더 오래된* 도시이다.

► 비교급 ält*er* ('더 오랜')가 뒤의 명사 Stadt를 수식! → 따라서 형용사 어미변화 : ein*e* älter*e* Stadt

Peter läuft schnell*er* als Petra.

<해석> 페터는 페트라*보다 더 빨리* 달린다.

► 비교급 schnell*er* ('더 빠른')는 동사 läuft(즉, laufen '달려가다')를 설명하는 부사어임!

3. "최상급" 비교 : 「am + 최상급 *-en* 」 '가장 ...한', (부사적) '가장 ...하게'

Das Theaterstück ist am interessant*esten*.

<해석> 연극이 *가장 재미있다.*

► 최상급 구문 am interessant*esten* ('가장 재미있는')은 동사 ist의 형용사 보어임!

Klaus läuft am schnell*sten*.

<해석> 클라우스가 *가장 빨리* 달린다.

► 최상급 구문 am schnell*sten*('가장 빨리')은 동사 läuft를 설명하는 부사어임!

※ Trier ist die ält*este* Stadt in Deutschland.

<해석> 트리어가 *가장 오래 된* 도시이다.

► 최상급 ält*est* ('가장 오랜')가 뒤의 명사 Stadt를 수식! → 따라서 형용사 어미변화 : di*e* älteste Stadt

기초 문제

I. 주어진 형용사의 원급, 비교급, 최상급의 올바른 형태는?

1. schön : Köln ist ________. Hamburg ist noch ____________ als Köln. München ist ________________.
2. gut : Eva spricht ________ Französisch, aber Englisch spricht sie noch ____________. ________________ spricht sie Spanisch.
3. hoch (hoh-) : Die Alpen sind ein ________ Gebirge. Der Kaukasus ist ein noch ____________ Gebirge. Der Himalaya ist das ________________ Gebirge der Welt.

II. 주어진 형용사의 알맞은 비교급 형태는?

1. gefährlich : Früher war die Seefahrt viel __________ als heute.
2. groß : Diese Wohnung ist mir zu klein. Ich brauche eine __________.
3. billig : Ist der Fernseher da drüben teuer? - Nein, er ist _________ als dieser hier.
4. viel(e) : Heute haben die jungen Leute viel __________ Probleme als früher.
5. gut : Das ist wirklich ein gutes Restaurant. - Ja, ein __________ können Sie hier nur schwer finden.

III. 주어진 형용사의 알맞은 최상급 형태는?

1. groß : Der Mensch ist der ____________ Feind des Menschen.
2. lang : Heute ist der ____________ Tag des Jahres.
3. hoch (hoh-) : Die Alpen sind das ____________ Gebirge Europas.
4. gut : Welche Uhr gefällt Ihnen ____________? - Die Uhr hier.
5. gut : Lisa ist meine ____________ Freundin. Susanne ist auch eine gute Freundin von mir.
6. schön : Keine andere Stadt ist schöner als Paris. Paris ist also ____________.
7. schön : Meine Studienzeit war wirklich die ____________ Zeit meines Lebens.

IV. 부사어 gern(e)의 알맞은 형태는?

1. Wir feiern ____________ zu Hause als im Restaurant.
2. Was möchten Sie ____________, Mineralwasser oder Orangensaft? - Ich möchte ____________ Mineralwasser. Orangensaft mag ich nicht so gern.
3. Wenn ich Zeit habe, lese ich gern. ____________ lese ich Liebesromane.
4. Die Sonne scheint. Ich gehe jetzt spazieren. Kommst du mit? - Nein, ich sehe ____________ fern.

【114】 Spanien ist viel größer als Italien, aber es hat viel weniger Einwohner.

<해석> 스페인은 이탈리아보다 훨씬 더 크지만, 인구는 더 적다.

► 비교급 앞의 수식어 : viel größ*er* '*훨씬* 더 큰' ↔ etwas (ein wenig, ein bisschen) größ*er* '*약간* 더 큰'
<참고> A ist noch größer als B. 'A는 B*보다도* 크다.' (비교대상인 B도 크지만 '*그보다도* 더 크다'는 뜻임!)
► 형용사 groß('큰, 커다란')의 3 비교형 : groß - grö*ß*er - grö*ß*t (최상급 größ*st* 아님!)
► wenig('적은, 적게')의 비교급 wenig*er* 및 viel('많은, 많이')의 비교급 *mehr* 는 어미변화 없음!
wenig*er* Einwohner '더 적은 인구' (즉, wenigere ... 아님!) / *mehr* Einwohner (즉, mehre ... 아님!)
<참고> 「mehrer*e* + *복수*명사」 '몇몇의 ...' (= 「einig*e* + 복수명사」)
(여기서 mehrer-는 부정수사로서 형용사 비교와 관련 없음 : mehrer*e* Dinge '몇몇 물건들')

【115】 Ich bin drei Jahre jünger als meine Schwester. Ich bin siebzehn und sie ist zwanzig. Ich habe auch noch einen älteren Bruder. Er ist einundzwanzig Jahre alt.

<해석> 나는 나의 누이보다 3살 더 어려. 나는 17살이고, 그녀는 20살이야. 나는 또한 (나보다 나이 많은) 형이 있어. 그는 21살이지.

► 형용사가 a, o, u 모음 하나일 경우 변모음(Umlaut) 됨 : jung - jüng*er* - jüng*st* / alt -älter - ält*est*

【116】 Was ist Ihnen im Leben am wichtigsten? Reichtum, Freundschaft oder Gesundheit?

<해석> 당신에게는 인생에서 무엇이 가장 중요합니까? 부, 우정, 아니면 건강?

► 형태가 -tum 인 명사는 *남성*이며, 복수형은 -tüm*er* 임 : *der* Fürstentum '후작의 영토' (die Fürstentüm*er*)
► 형태가 -schaft , -heit (혹은 -keit)인 명사는 *여성* 이며, 복수형은 -*en* 임 :
die Gesell*schaft* '사회, 공동체' (die Gesellschaft*en*) / *die* Gelegen*heit* '기회' (die Gelegenheit*en*)

【117】 Niemand singt so gut wie du. Du singst am besten.

<해석> 아무도 너만큼 노래를 잘 부르지 못해. 네가 가장 노래를 잘 해.

► 동등 비교 (= "원급" 비교) : 「A ... so 원급 wie B」 'A는 B*처럼* ...하다', 즉 'A는 B와 *똑같이* ...하다'

【118】 Das ist ja viel teurer, als ich gedacht habe! - Ja, billig ist das allerdings nicht.

<해석> 그것은 내가 생각한 것보다 훨씬 더 비싸군. - 그래, 그것은 값싸지는 않지.

► "비교급" 비교의 접속사 *als* 뒤에 문장이 올 경우 *부문장*이므로 *후치*됨 : ... teurer, *als* ich gedacht habe.
※ "원급" 비교의 접속사 *wie* 뒤에 오는 문장도 *후치*됨 : Das ist nicht so teuer, *wie* ich gedacht habe.

【119】 Obwohl die Luft in den Städten immer schlechter wird, ziehen immer mehr Menschen dorthin.

<해석> 비록 도시들의 공기가 점점 더 나빠짐에도 불구하고 점점 더 많은 사람들이 그곳으로 이주한다.

► 「*immer* 비교급」 = 「비교급 *und* 비교급」 '점점 더 ...한' : *immer* schlecht*er* / *immer* mehr

심화 문제

I. 문맥에 맞는 형용사 gut의 형태는?

1. Ich glaube, es ist __________, wenn ich jetzt gehe. Ich habe Angst, die letzte U-Bahn zu verpassen.
2. Das ist das __________ Restaurant der Stadt.
3. Dafür ist mein Computer nicht gut genug. Ich brauche einen __________.
4. Was meinst du? Soll ich den schwarzen oder den blauen Rock kaufen? - Ich finde den schwarzen __________.
5. Entschuldigen Sie, wie komme ich am __________ zum Hotel *Europa*?
6. Warum kommst du nicht mit? Hast du vielleicht etwas __________ vor?
7. Ist der Junge schwer verletzt? - Es sieht nicht so __________ aus, aber man muss erst die Untersuchung abwarten, bevor man Genaueres sagen kann.

II. <보기>에서 알맞은 것을 선택하여 비교급 형태를 넣으시오.

<보기> gut, klein, ruhig, teuer, viel(e)

1. Frau Hörmanns Freundin findet, dass eine Hausfrau ________ Probleme hat als eine berufstätige Frau.
2. Der Pullover ist dir zu groß. Du brauchst einen ________.
3. Dieses Zimmer ist mir zu laut. - Wir haben leider kein ________.
4. Ich habe gehört, Sie waren krank. - Ja, aber jetzt geht es mir schon wieder ________. Ich habe Ferien gemacht und mich gut erholt.
5. Das Obst ist zu teuer. Es ist in dieser Woche schon wieder ________ geworden.

III. 주어진 표현의 알맞은 비교 형태는?

1. höflich : Sind die Menschen heute ________ als früher?
2. teuer : Das ist ja viel ________, als ich dachte.
3. selten : Zuerst kam er oft, dann immer ________.
4. praktisch : Frau Schmidt findet, dass die neue Wohnung ________ ist als die alte.
5. klug : Ich glaube, Udo ist nicht so ________ wie Bernd. - Ja, ich finde auch, Bernd ist ________ als Udo.

6 gut : Soll ich mit dem Taxi fahren oder den Bus nehmen? - Am ________ nimmst du den Bus.

7. arrogant : Die Deutschen sind nicht so ________, wie viele meinen.

마무리 문제

I. 괄호 안의 낱말을 사용하여 독일어로 옮기시오.

1. 제주도는 서울보다 더 따뜻하다.
   (auf Jejudo, Seoul, als, warm, sein, es)

   ____

2. 한라산은 남한에서 가장 높은 산이다.
   (Hallasan, Südkorea, in, hoch, Berg, sein)

   ____

3. 조금 더 천천히 그리고 더 분명하게 말해주세요.
   (etwas, langsam, und, deutlich, sprechen, Sie)

   ____

4. 오늘날 사람들은 점점 더 오래 산다.
   (heutzutage, Mensch, immer, lange, leben)

   ____

5. 네 남동생은 무엇을 하니?
   (dein-, jung, Bruder, was, machen)

   ____

II. 잘못된 부분(들)을 고쳐서 다시 적으시오.

1. Er ist viel starker als ich.

   ____

2. Es gibt in Korea kein höcher Berg als der Baekdusan.

   ____

3. Dieses Motorrad ist sehr teurer als ein Auto.

   ____

4. Der Film ist mehr interessant als das Buch.

   ____

5. Die Arbeit ist viel schwerer, als wir haben erwartet.

   ____

6. Bitte, komm pünktlich; lass mich nicht wieder so länger warten wie das letzte Mal.

   ____

Lektion 21

수 사 : 기수, 서수 ...

1. 기수 (1, 2, 3 ...)

0 null 1 eins 2 zwei 3 drei 4 vier 5 fünf 6 sechs
7 sieben 8 acht 9 neun 10 zehn 11 elf 12 zwölf

► 1부터 12까지는 개별 단어로 암기! (영. zero, one, two, three ... twelve)

13 drei*zehn* 14 vier*zehn* 15 fünf*zehn* 16 sech*zehn* 17 sieb*zehn*
18 acht*zehn* 19 neun*zehn*

► 13부터 19까지는 *-zehn* 임. (영. -teen)
16, 17은 철자에 주의! (즉, sechszehn, siebenzehn 아님!)

20 *zwanzig* 30 drei*ßig* 40 vier*zig* 50 fünf*zig*
60 *sechzig* 70 *siebzig* 80 acht*zig* 90 neun*zig*

► 십 단위는 *-zig* 임. 30의 경우만 *-ßig* 임. (영. -ty) / 20, 60, 70은 철자에 주의!

21 (= '1과 20') ein*und*zwanzig 32 (= '2와 30') zwei*und*dreißig
54 (= '4와 50') vier*und*fünfzig 79 (= '9와 70') neun*und*siebzig

► "1 단위 + *und* + 10 단위"로 표현함!
21, 31, 41 ... : einsund... 가 아니라 einund... 임에 주의!

100 (ein)*hundert* 101 (ein)*hundert*eins 111 (ein)*hundert*elf
200 zwei*hundert* 928 neun*hundert*achtundzwanzig
1000 (ein)*tausend* 1476 (ein)*tausend*vier*hundert*sechsundsiebzig
10.000 zehn*tausend* 100.000 hundert*tausend*
1.000.000 eine Million 2.000.000 zwei Million*en*

2. 서수 ('첫째', '둘째', '셋째' ...) : 아라비아 숫자에 *마침표*를 찍어 표시함.

1. erst 2. zweit 3. dritt 4. vier*t* 5. fünf*t* 6. sechs*t* ... 19. neunzehn*t*

► 1. 부터 3. 까지는 개별 단어로 암기! (영. first, second, third)
4. 부터 19. 까지는 「기수 *-t*」 (영. 「기수 *-th*」)

20. zwanzig*st* 21. einundzwanzig*st* 22. zweiundzwanzig*st* ...

► 20. 이상은 「기수 *-st*」

Welcher Tag ist heute? - Heute ist der siebzehn*te* März.
<해석> 오늘은 며칠이니? - 오늘은 3월 17일이야.

► 서수는 *정관사*와 결합하며, *형용사* 어미변화 함
→ d*er* siebzehnt*e* (날짜는 *남성*변화!)
Meine Frau hat am einundzwanzig*sten* April ihren dreißig*sten* Geburtstag.
'내 아내는 4월 21일에 그녀의 30번째 생일을 맞는다.'

기초 문제

I. 다음 숫자를 독일어로 적으시오.

1. Um wie viel Uhr fängt der Film an? - Er beginnt um *9* Uhr.
2. Wie war das Wetter? - Es war sehr warm. Wir hatten *30* Grad.
3. Was kostet der Schrank hier? - Der ist nicht teuer. Der kostet nur *45* Euro.
4. Seit *20* Minuten warten wir darauf, dass Frau Schmitt uns die Papiere bringt.
5. Herr Nolting lässt seine Tochter nicht allein verreisen, obwohl sie schon *17* Jahre alt ist.

II. 다음 서수를 독일어로 적으시오.

1. Der *5.* Mai ist in Korea Kindertag.
2. Der *3.* Oktober ist der Tag der deutschen Einheit.
3. Wann hast du Geburtstag? - Ich habe am *24. 7.* Geburtstag.
4. Fahren Sie an der *3.* Kreuzung rechts!
5. Sie haben Zimmer 604. Nehmen Sie einfach den Aufzug in den *6.* Stock.

III. 밑줄 친 금액을 아라비아 숫자로 적으시오.

1. Was kostet denn die Miete? - Sechshundertfünfzig Euro im Monat.
2. Ich kann dir siebzig Euro leihen. Reicht das? - Ja, danke! Mehr brauche ich gar nicht.
3. Die Reise nach Wien hat dreihundertneunundneunzig Euro gekostet.
4. Hier haben wir ein Fahrrad für zwölfhundert Euro. - Das ist mir zu teuer.
5. Die Reparatur hat über fünfhundert Euro gekostet.
6. Das macht sechzehn Euro dreißig.
7. Einhundertfünfzigtausend Won sind zurzeit etwa einhundertzwanzig Euro.

IV. 다음 숫자를 독일어로 적으시오.

1. Auf der Autobahn darf man bis 110 Stundenkilometer (km/h) fahren.
2. Wie groß ist deine neue Wohnung? - Sie ist 120 Quadratmeter (m2) groß.

V. 다음 숫자를 독일어로 적으시오.

131 ______________________________

502 ______________________________

1076 ____

264 391 538 ____

【120】 Du nimmst den Bus Nummer 1200 und fährst bis zur Haltestelle "Universitätsstraße". Du gehst die Universitätsstraße entlang und an der Ecke nach rechts in die Frauenstraße. Nach ungefähr (circa) 50 Metern siehst du schon ein rotes Haus. Da wohne ich.

<해석> 1200번 버스를 타고 정류장 "우니베르지테트슈트라세"까지 가. 우니베르지테트슈트라세를 따라 가다가 모퉁이에서 오른쪽으로 프라우엔슈트라세로 들어가. 대략 50미터 후에 붉은 색 집을 보게 돼. 그곳에 내가 살고 있어.

► entlang('~을 따라', 영. along)은 주로 명사 뒤에 위치하는 *4격* 지배 *후치사*임 :
die Straße *entlang* '거리를 따라' / den Fluß *entlang* '강을 따라'
<참고> 3격 전치사 gegenüber('~ 건너편에')는 간혹 명사 뒤에 오기도 함 : dem Rathaus *gegenüber*

【121】 Ich bin 1986 in Würzburg geboren. Dort bin ich zur Schule gegangen. 2005 habe ich Abitur gemacht.

<해석> 나는 1986년에 뷔르츠부르크에서 태어났다. 그곳에서 학교에 다녔다. 2005년 나는 아비투어를 치렀다.

► 연도 : 1986년 neunzehn*hundert* sechsundachtzig (백 단위로 끊어 읽음!) / 2012년 zwei*tausend* zwölf

【122】 Wann fängt die Vorlesung an? - Um 8.15 Uhr. - Was? Schon um Viertel nach acht? Es ist ja schon halb acht. Ich komme zu spät.

<해석> 강의가 언제 시작하지? - 8시 15분에. - 뭐라고?! 8시 15분에 벌써? 이미 7시 반이네. 지각하겠군.

► 공식적인 시간 표현 : um 8.15 Uhr '8시 15분에' (→ "um acht *Uhr* fünfzehn"으로 읽음!)
► ein Viertel '분수 1/4', 즉 '15분' : Viertel *vor* acht '8시 15분 전' / Viertel *nach* acht '8시 15분'
► halb '1/2', 즉 '30분' : halb 8 '7시 반' <참고> 여성명사 die Hälfte '1/2', '반'

【123】 Über ein Drittel der koreanischen Bevölkerung lebt in Seoul und Umgebung. In 10 Jahren lebt vielleicht schon die Hälfte der Bevölkerung in der Hauptstadtregion.

<해석> 한국 국민의 3분의 1이상이 서울과 그 주변에 살고 있다. 아마도 10년만 있으면 벌써 국민의 절반이 수도권에 살게 될 것이다.

► 분수는 「서수 *-el*」 : ein Dritt*el* '1/3' , zwei Dritt*el* '2/3' , drei Viert*el* '3/4' , vier Siebt*el* '4/7'

【124】 Die Wirtschaftswachstumsrate liegt bei 3,4%. Trotzdem beträgt die Arbeitslosigkeit immer noch 4,5%, das macht rund 1,3 Millionen Arbeitslose. Genauer gesagt: 1.345.000 Menschen haben keine Arbeit.

<해석> 경제 성장률이 3.4%이다. 그럼에도 불구하고 실업률은 여전히 4.5%인데, 이는 약 130만 명의 실업자를 의미한다. 좀더 자세히 말하자면, 134만 5천 명이 일자리가 없다.

► 소수점은 *콤마* : 3,4% → "drei *Komma* vier Prozent" / 1, 3 Millionen → "eins *Komma* drei Million*en*"
※ 독일어와 한국어는 소수점과 콤마가 반대로 사용됨 : (한국) 2,356,798.66 = (독일) 2.356.798,66
<참고> 단위 명칭 : 1 m → "ein Meter" (2 m → "zwei Meter") / 1 cm → "ein Zentimeter" / 1 km → "ein Kilometer" / 1 m^2 → "ein Quadratmeter" / 1 g → "ein Gramm" / 2 kg → "zwei Kilogramm"

심화 문제

I. 숫자를 독일어로 읽으시오.

1. Ich finde es nicht klug, dass du schon mit 18 heiraten willst.
2. Sieh mal den hohen Turm da! - Wie hoch ist er denn? - Er ist genau 112 Meter hoch.
3. Wie viele Kilometer sind es von Seoul nach Gwangju? - Etwa 320 Kilometer.
4. Wie hoch ist der Hallasan-Berg? - 1.950 Meter.
5. Wie hoch fliegt das Flugzeug? - Es fliegt 12.500 Meter hoch.
6. Sie möchten zum Chef? Da müssen Sie rauf in den 13. Stock!

II. 다음 밑줄 친 부분을 독일어로 읽으시오.

1. Ich feiere am Samstag meinen Geburtstag. Hast du Lust zu kommen? - Gerne. Wann fängt die Party an? - Um halb 7.
2. Können Sie heute um Viertel vor 11 mit der Übersetzung fertig sein?
3. Passt es dir, wenn ich gegen 18 Uhr zu dir ins Büro komme?
4. Entschuldigen Sie, ich brauche eine Information. Wann fährt der nächste Zug nach Dresden ab? - Er fährt um 16.17 Uhr ab.
5. Er bleibt bis zum 30. 6.
6. Danke für Ihren Brief vom 3. 9. !
7. Wann haben Sie Geburtstag? - Am 13. 8.
8. Ich mache das Examen am 1. 11. im nächsten Jahr.
9. Dieser Wein hat 12,5% Alkoholgehalt.
10. Nehmen Sie 1/4 Liter Milch!
11. Goethe hat von 1749 bis 1832 gelebt.
12. Wann ist denn Inge geboren? - Sie ist am 20. 2. 1987 geboren.

III. 다음 시간을 독일어로 표현하시오.

1. 3시 15분 : drei Uhr fünfzehn / Viertel nach drei
2. 4시 30분 : ____________________
3. 7시 45분 : ____________________
4. 17시 20분 : ____________________
5. 20시 55분 : ____________________
6. 22시 10분 : ____________________

마무리 문제

I. 괄호 안의 낱말을 사용하여 독일어로 옮기시오. (숫자는 독일어로 표현!)

1. 그 비행기는 8시 20분에 출발한다.
   (die Maschine, gehen)

   ____

2. 한국은 1945년에 일본으로부터 해방되었다.
   (Korea, frei, Japan, wieder, von, werden)

   ____

3. 나는 5층에 산다.
   (ich, Stock, in, wohnen)

   ____

4. 물가가 지난해 3.5% 인상되었다.
   (die Preise, letztes Jahr, Prozent, um, steigen)

   ____

5. 한국에는 약 4천 8백 20만 명의 인구가 살고 있다.
   (Korea, etwa, der Mensch, leben)

   ____

6. 그 시험은 11월 10일 전국적으로 실시된다.
   (die Prüfung, landesweit, stattfinden)

   ____

II. 잘못된 부분(들)을 고쳐서 다시 적으시오. (숫자는 독일어로 표현!)

1. Wie spät ist es? - Es ist um eins Uhr.

   ____

2. Deutschland wurde Ende des 20 Jahrhunderten wiedervereinigt.

   ____

3. Das Paket ist 5.6 Kilogramm schwer.

   ____

4. Meine Schwester ist 1994, 7. 21. geboren. Sie ist sechszehn Jahre alt.

   ____

5. Das Unternehmen hat im ersten Quartal 3 Million Euro Verlust gemacht.

   ____

Lektion 22

시제 (2) : 과거 / 과거완료 / 미래

1. "과거" 시제 : 동사의 3 기본형 중의 *과거형* 이 어미변화 함. (*'...하였다'*)
지난 과거 일을 말할 때 문어체에서는 "과거" 시제를 사용하지만,
구어체의 일상 대화에서는 "현재완료" 시제를 사용함.
(동사 *sein, haben, 화법조동사*는 구어체에서도 보통은 "과거" 시제 사용!)

   Walter und seine Kollegen kamen spät zur Arbeit.

   <해석> 발터와 그의 동료들은 늦게 일하러 *왔다.*

   ▸ 동사 kommen('오다')의 3 기본형 : kommen - kam - gekommen
   "과거" 시제이므로 과거형 kam이 어미변화 함 : 주어가 "Walter und seine Kollegen",
   즉 복수의 sie('그들은')이므로 과거형 kam에 어미 *-en* 이 붙어 kam*en* 임.

2. "과거완료" 시제 : 「hatte (war) ... pp」 (*'...하였다', '...하였었다'*)
"현재완료" 혹은 "과거" 시제로 표현된 내용보다 앞선 과거의 일은 "과거완료 " 시제로 표현함.

   In diesem Sommer *haben* wir in Australien Urlaub *gemacht*.
   Wir *hatten* zwei Jahre lang für die Reise *gespart*.

   <해석> 이번 여름 우리는 호주에서 휴가를 가졌다. 그 여행을 위해서 우리는 2년간 저축*했었다.*

   ▸ 뒤 문장 내용인 '저축했던 것'은 앞 문장 내용인 '휴가 간 것'보다 앞선 과거의 일!
   따라서 뒤 문장의 시제는 앞 문장의 *현재완료* 보다 앞선 *과거완료* 임:
   ... hatten ... *gespart* .

   Nachdem ich meiner Freundin dreimal *geschrieben hatte*, *antwortete* sie mir endlich.

   <해석> 내가 나의 여자 친구에게 편지를 세 번 쓴 후에야 마침내 그녀가 내게 답장했다.

   ▸ *nachdem*-부문장의 내용인 '편지 쓴 것'은 주문장의 내용인 '답장한 것'보다 앞선 과거의 일!
   따라서 부문장의 시제는 주문장의 *과거* 보다 앞선 *과거완료* 임:
   Nachdem ... *geschrieben* hatte , ...

3. "미래" 시제 : 「werden ... 동사 원형」 (*'...일 것이다'*)

   ① '예정' 혹은 '미래의 일'

   Wählen Sie mich! Ich *werde* die Steuern *senken*.

   <해석> 저를 선출해 주세요! 제가 세금을 인하*할 것입니다.*

   ② '추측'

   Wo ist denn mein Pass? - Der *wird* wohl bei dir im Zimmer *liegen*.

   <해석> 도대체 내 여권은 어디에 있지? - 그것은 아마도 네 방에 *놓여 있을 거야.*

   ▸ '추측'의 부사어 wohl('아마도')이 사용됨.

기초 문제

I. 다음 문장들을 "과거" 시제로 바꾸시오.

1. Wir antworten sofort auf den Brief unseres Lehrers.
2. Der Junge sitzt an seinem Tisch und liest in einem Buch.
3. Es regnet stark. Trotzdem geht sie durch den Stadtpark spazieren.
4. Zuerst kommt er oft, dann immer seltener.

II. 괄호 안의 동사를 사용하여 문장을 "과거완료" 시제로 만드시오.

1. Sie hatte rote Augen. Sie (*weinen*) die ganze Nacht.
2. Das Kleid war viel teurer, als ich (*denken*). Ich habe ein anderes genommen.
3. Mein Vater ist vor drei Tagen gestorben. Letzten Monat (*feiern*) wir seinen 80. Geburtstag.
4. Am dritten Urlaubstag hatten wir kein Geld mehr. Wir (*ausgeben*) schon alles.
5. Warum hast du keine Milch mitgebracht? Ich (*bitten*) dich extra darum.
6. Als ich dort ankam, (*anfangen*) die Vorstellung schon.

III. 괄호 안의 동사를 사용하여 문장을 "미래" 시제로 만드시오.

1. Er (*besuchen*) das Gymnasium in München.
2. Ich (*studieren*) Psychologie und Soziologie in Hamburg.
3. Der Schüler (*wiederholen*) die Prüfung morgen.
4. Das Mädchen (*einladen*) ihre Freunde zur Party.
5. Meine Frau (*freuen*) sich sehr, Sie wiederzusehen.
6. Ich (*sein*) traurig, wenn du gehst.
7. Wenn du jetzt nicht fleißig lernst, (*bereuen*) du es später einmal.

IV. '추측'? 혹은 '예정 (미래의 일)'?

1. Ich werde dir die Sache später erklären.
2. Sieht er fern? - Er wird wohl gerade fernsehen.
3. Im nächsten Jahr werde ich mit meinem Mann nach Australien fahren.
4. Haben Sie Herrn Müller gesehen? - Nein, er wird wohl in seinem Büro sein.
5. Das ist wirklich ein gutes Café. - Ja, ein besseres werden Sie hier nur schwer finden.

【125】 Der Prinz schlief sofort ein; nach der langen Reise war er erschöpft und konnte die Augen nicht mehr offen halten.

<해석> 그 왕자는 곧 잠들었다. (왜냐하면) 오랜 여행 뒤에 그는 기진맥진해서 더 이상 눈을 뜬 채 버틸 수 없었다.

- ► "과거"시제에서도 분리동사 *ein*schlafen('잠들다')의 분리전철 *ein*-은 문장 맨 뒤에 옴 : ... schlief ... *ein.*

【126】 Kennen Sie Herrn Müller schon lange? - Nein, ich habe ihn erst vor ein paar Monaten kennen gelernt; vorher kannte ich ihn noch nicht.

<해석> 당신은 뮐러씨를 이미 오랫동안 알고 계시나요? - 아니오, 저는 그를 몇 개월 전에 비로소 사귀었어요. 그 전에는 아직 그를 알지 못했어요.

- ► kennen '~~누구~~를 알고 지내다' (면식) : kennen - kannte - gekannt
  ※ wissen '...을 알다' (지식) : wissen - wusste - gewusst
- ► *kennen* lernen '...을 사귀다' : *kennen* lern*en* - *kennen* lern*te* - kennen *ge*lern*t*
  ※ *kennen* lernen의 *kennen*-은 문장 안에서 마치 분리전철처럼 문장 맨 뒤에 옴 : 「lernen ... *kennen*」

【127】 Erinnerst du dich noch an unsere frühere Kollegin Frau Schön? - Nein, ich kann mich nicht mehr an sie erinnern. Wie sah sie aus?

<해석> 너는 우리의 예전 여자 동료였던 쇤 부인을 아직 기억하고 있니? - 아니, 나는 더 이상 그녀를 기억할 수 없어. 그녀는 외모가 어떠했지?

- ► 4격 재귀동사 「erinnern sich an + 4격」 '...을 기억하다'
  주어가 *du* 이므로 4격 재귀대명사는 *dich* 임 : Erinner*st du* *dich* ...?
- ► 분리동사 *aus*sehen (외모) '...해 보이다' : *aus*sehen - *aus*sah - *aus*gesehen (← sehen - sah - gesehen)

【128】 Als ich dort ankam, war sie bereits abgefahren.

<해석> 내가 그곳에 도착했을 때 그녀는 이미 떠나고 없었다.

- ► 종속접속사 *als*('...하였을 때')는 과거의 한 시점에서 일어난 일을 표현함!
  따라서 als와 결합하는 부문장은 보통 "*과거*" 시제가 사용됨 : Als ich ... ankam , ...
- ► 예문에서 "과거" 시제가 사용된 *als*-부문장의 내용보다 주문장의 내용은 한 단계 더 앞선 과거의 일!
  따라서 주문장은 "*과거완료*" 시제임 : ... , war sie ... *abgefahren* .

【129】 Wo bleibt Peter? - Mach dir keine Sorgen! Er wird bestimmt bald kommen. Er wird schon keinen Unfall gehabt haben.

<해석> 페터는 어디 있지? - 걱정하지 마. 분명히 곧 올 거야. 그는 사고 따위는 당하지 않았을 거야.

- ► 3격 재귀동사 「machen sich[3] (keine) Sorgen」 '걱정하(지 않)다' :
  du-명령문의 주어(= 동사의 행위자)는 *du*로서 생략된 상태임! 따라서 3격 재귀대명사는 *dir*임 : Mach *dir* ...!
- ► "미래완료" 시제 : 「werden ... 완료형」 '...하였을 것이다' :
  Er wird ... *gehabt* *haben* . (과거에 '...했을 것'이라고 현재 추측함. 즉, 추측 내용은 *과거*, 추측 행위는 *현재*!)
- ► '추측'의 미래 시제에 부사어 *schon* 이 사용되면 상대방을 *안심*시키거나 *위안*을 주는 내용이 됨.
  <참고> '추측'의 미래 시제에는 전형적으로 부사어 *wohl* ('아마도')이 사용됨. ('추측'의 의미를 분명히 함!)

심화 문제

I. 밑줄 친 동사를 주어진 시제 형태로 표현하시오.

1. Vor 30 Jahren geben(과거) es keine Computer. Heute geben(현재) es in den meisten Büros einen Computer.
2. Klaus wollen(과거) in den Ferien mit seinen Freunden eine Reise in die Schweiz machen, aber sein Vater lassen(현재) ihn nicht fahren.
3. Obwohl ich der Firma vor dem Abflug meine Ankunftszeit mitteilen(과거완료), abholen(현재완료) mich niemand am Flughafen.
4. Frag ihn mal danach! Er helfen(미래) dir schon.

II. 문맥을 고려할 때 괄호 안에 주어진 동사의 올바른 시제 형태는?

1. Die Kollegen (kommen) vor einer Woche hier (an). Sie sind also schon seit einer Woche hier.
2. Entschuldigung für die Störung. Wir (wissen) nicht, dass du so viel zu tun hast.
3. Wo (wohnen) Stefan zuerst, als er nach München (kommen)? - In einer Pension.
4. Gestern (sein) ich in einem Restaurant. Als ich zahlen (wollen), (merken) ich, dass ich meine Brieftasche zu Haus (vergessen).
5. Ich konnte Herrn Frank leider nicht mehr erreichen. Er (fahren) schon nach Haus.
6. Gestern Abend (sein) viele Leute im Theater; es (geben) kaum freie Plätze.
7. Was (machen) Sie, wenn Sie mit dem Studium fertig (sein)?

III. 의미상 알맞은 표현을 선택하시오.

1. Ich fand die Vorlesung sehr gut, (obwohl, denn) ich nicht alles verstanden habe.
2. (Wenn, Als) Christian Zeit hatte, ging er immer ins Theater.
3. Wo hat Jana studiert, (weil, bevor) sie nach Deutschland kam?
4. (Wenn, Als) Thomas heute zur Arbeit kam, war Martin noch nicht da.
5. (Bevor, Nachdem) wir gegessen hatten, gingen wir ins Kino.
6. Sie ist nicht sicher, (ob, dass) sie sich das Theaterstück heute Abend ansehen wird.
7. Ich hatte den ganzen Tag geputzt und aufgeräumt. (Trotzdem, Aber) hat sich mein Mann über die Unordnung beschwert.
8. (Als, Wenn) meine Freundin das letzte Mal kam, blieb sie nur ein paar Stunden. Aber ich glaube, (als, wenn) sie das nächste Mal kommt, bleibt sie sicher eine ganze Woche.

마무리 문제

I. 괄호 안의 낱말을 사용하여 독일어로 옮기시오.

1. 나는 열심히 공부했지만 그 시험에 합격하지 못했다.
   (ich, fleißig, lernen, obwohl, nicht, die Prüfung, bestehen)

   ____

2. 나는 입학 허가서를 받고 난 후에 비자를 신청할 수 있었다.
   (ich, die Zulassung, erhalten, nachdem, das Visum, beantragen, können)

   ____

3. 내 열쇠 봤니? - 아마도 네 잠바 주머니에 있을 거야.
   (du, mein Schlüssel, sehen) (er, wohl, deine Jackentasche, in, sein)

   ____

4. 축하합니다. 8개월 후에는 엄마가 될 것입니다.
   (ich, gratulieren, Sie, 8, Monat, in, Mutter, sein)

   ____

5. 그가 우리 집에 오면, 우리는 항상 학창시절 이야기를 했다.
   (er, uns, zu, kommen, wenn, wir, immer, die Schulzeit, über, sich unterhalten)

   ____

6. 내가 집에 가려고 했을 때, 비가 오기 시작했다.
   (ich, Haus, nach, gehen, wollen, als, regnen, anfangen)

   ____

II. 잘못된 부분(들)을 고쳐서 다시 적으시오.

1. Gestern bin ich den ganzen Tag zu Hause.

   ____

2. Obwohl es sehr kalt war, ging wir spazieren.

   ____

3. Nachdem die Gäste gegangen sind, habe ich aufgeräumt.

   ____

4. Als du morgen zu mir kommst, spielen wir zusammen Computerspiele.

   ____

5. Ich freue mich, Sie kennen zu lernen. Ich hatte schon viel von Ihnen gehört.

   ____

Lektion 23

관계대명사 der, die, das ...

1. 관계대명사는 일종의 "대명사"로서 앞에 나온 *명사* (= "선행사")를 가리킨다.
   (형태는 지시대명사 der, die, das ...와 동일함!)
2. 관계대명사는 뒤에 *부문장*을 이끈다.
   (따라서 관계대명사 부문장은 *후치*되며, 관계대명사 앞에는 항상 *콤마* !)
3. 관계대명사 부문장은 앞의 *선행사*를 설명 · 수식한다.

Kennst du den Mann, der vor der Tür steht?

<해석> 너는 *문 앞에 서 있는* 남자를 아니?

► 관계대명사 *der*는 앞에 나온 남성명사 Mann을 받음. (즉, Mann은 선행사!)
관계대명사 *der* 뒤에는 부문장이 옴 : ... , der ... *steht*?
(동사 steht는 *후치*! der 앞에는 *콤마*!)
관계대명사 부문장의 내용 '문 앞에 서 있는'은 앞의 선행사 Mann을 설명 · 수식함.

※ Kennst du den Mann? Der steht vor der Tür.

<해석> 너는 그 남자를 아니? *그는* 문 앞에 서 있어.

► 여기서 Der는 앞 문장의 남성명사 Mann을 받는 *지시대명사*임. (즉, "Der Mann"의 축약형!)

4. 관계대명사는 선행사의 성과 수, 그리고 부문장 안의 격에 따라서 형태가 변화한다.

Das ist der *Mann*, der mich gestern *angerufen hat.*

<해석> 이 사람이 *어제 나에게 전화한* 남자이다.

► *남성*명사 Mann을 받으며, 부문장 안에서 *주어*임! → *남성 1격*의 *der* !

Er erzählt mir von der *Reise*, die er gerade *gemacht hat.*

<해석> 그는 나에게 *그가 막 행한* 여행에 대하여 이야기한다.

► *여성*명사 Reise를 받으며, 부문장 안에서 동사 gemacht의 *4격* 목적어임!
→ *여성 4격*의 *die* !

Das ist das *Mädchen*, dem ich bei der Arbeit *geholfen habe.*

<해석> 이 사람이 (*그녀가*) *일할 때 내가 도왔던* 소녀이다.

► *중성*명사 Mädchen을 받으며, 부문장 안에서 동사 geholfen의 *3격* 목적어임!
→ *중성 3격*의 *dem* !

Das sind die *Themen*, die wir heute *behandeln wollen.*

<해석> 이것들은 *우리가 오늘 다루려고 하는* 테마들이다.

► *복수*명사 Themen을 받으며, 부문장 안에서 동사 behandeln의 *4격* 목적어임!
→ *복수 4격*의 *die* !

※관계대명사가 전치사와 결합할 경우, 전치사는 관계대명사 앞에 옴!

Er hat mir sein neues *Auto* gezeigt, *mit dem* wir zusammen *fahren.*

<해석> 그는 나에게 *우리가 함께 타고 다니는* 그의 새 자동차를 보여주었다.

► *중성*명사 Auto를 받으며, 부문장 안에서 *3격* 전치사 mit와 결합함! → *중성 3격*의 *dem* !

기초 문제

I. 알맞은 관계대명사는?

1. Die Sekretärin, ________ mir bei meiner Arbeit hilft, sieht wirklich gut aus.
2. Jürgen hat einen Freund besucht, ________ er lange nicht mehr gesehen hatte.
3. Er möchte Ihnen von der Reise erzählen, ________ er gerade gemacht hat.
4. Das Mädchen, ________ ich mein Buch gegeben habe, ist 16 Jahre alt.
5. Die Zimmer, ________ ihm gut gefallen, sind alle zu weit von der Universität.
6. Hier auf dem Tisch liegt eine DVD, ________ sehr interessant ist.
7. Das ist der beste Artikel über dieses Thema, ________ ich je gelesen habe.
8. Er ist einer der besten Musiker, ________ wir kennen.
9. Was brauchen Sie am meisten? - Ein Mädchen, _____ sich um die Kinder kümmert.

II. 알맞은 관계대명사는?

1. Wer ist die junge Dame, mit ________ Sie gestern im Theater waren?
2. Ich habe eine Deutsche besucht, ________ sehr klug ist und mit ________ ich mich gern unterhalte.
3. Gestern habe ich endlich den Brief bekommen, auf ________ ich so lange gewartet hatte.
4. Das ist der junge Mann, von ________ ich dir so viel erzählt habe.

III. 관계대명사를 사용하여 두 문장을 연결하시오.

1. Ich muss ihm immer jedes Wort erklären. / Das Wort versteht er nicht.

   ____

2. Das ist die ältere Frau. / Ich habe ihr bei der Übersetzung geholfen.

   ____

3. Im Kino gibt es einen Film. / Ich möchte mir den Film ansehen.

   ____

4. Wie heißt die Dame da drüben? / Sie hat uns gerade gegrüßt.

   ____

5. Der Schüler ist wieder gesund. / Er war schwer krank.

   ____

6. Kennst du die Leute? / Sie stehen da vor der Tür.

   ____

【130】 Ein Bekannter von mir, dessen Sohn gerade von einer großen Reise zurückgekommen ist, hat mir schöne Fotos von Spanien und Nordafrika gezeigt.

<해석> 내가 아는 한 남자는 그의 아들이 큰 여행에서 막 돌아왔는데, 스페인과 북아프리카의 멋진 사진들을 나에게 보여주었다.

► *남성*, *중성 2격* 관계대명사는 *dessen* 임!

Ein Bekannter ... , dessen Sohn ... *zurückgekommen ist*, ... '(*그의*) *아들이* ...로부터 *돌아온* 친지 ...'

※ *여성*, *복수 2격* 관계대명사는 *deren* 임!

【131】 Wir haben einen netten Brief von den Leuten bekommen, mit denen wir im Urlaub nach Italien gefahren sind.

<해석> 우리가 휴가 때 이탈리아로 함께 갔던 그 사람들로부터 우리는 친절한 편지를 하나 받았다.

► *복수 3격* 관계대명사는 *denen* 임! (즉, den 아님!)

앞의 *복수*명사 Leute를 받으며, *3격* 전치사 mit와 결합하므로 *복수 3격 denen*이 옴 : ... , mit *denen* ...

【132】 In der Nähe des Kaufhauses, wo (= in dem) Herr Klug arbeitet, gibt es zwei Parkhäuser, ein Kino und ein Theater.

<해석> 클룩씨가 일하고 있는 백화점 근처에는 주차 건물 2개, 영화관 하나, 그리고 극장 하나가 있다.

► '*장소*'의 관계부사 *wo* : 관계대명사가 전치사와 결합하여 '장소'를 나타낼 때 관계부사 wo를 사용함!

<참고> '*시간*'의 관계부사 역시 *wo* : ... im *Jahr*, *wo* (= in dem) er geboren *ist* '그가 태어난 해에'

【133】 Professor Müller ist gern mit jungen Menschen zusammen, und es macht ihm Spaß, seinen Studenten alles zu erklären, was man als Wissenschaftler wissen muss.

<해석> 뮐러 교수는 젊은 사람들과 함께하는 것을 좋아하는데, 학자로서 알아야 할 모든 것을 자기 학생들에게 설명하는 것을 재미있어 한다.

► 부정대명사 alles, etwas, nichts 등을 받는 관계대명사는 *was* 임!

<참고> *의문사 was*가 전치사와 결합할 때 "wo(*r*) + 전치사"임 : Worauf wartest du? '너는 무엇을 기다리니?'

마찬가지로 *관계대명사 was* 역시 전치사와 결합할 때 "wo(*r*) + 전치사"임 :

Das ist *alles* , woran ich mich noch *erinnere*. '이것은 내가 아직 기억하고 있는 모든 것이다.'

【134】 Wer erkältet ist, (der) soll zu Haus bleiben.

<해석> 감기든 사람 (그 사람)은 집에 머물러야 한다.

► '사람'을 나타내는 관계대명사 *Wer* ... ('...하는 사람')는 문장 맨 앞에 옴!

(이 경우 남성 지시대명사 der, dem, den ...를 사용하여 격을 표시할 수 있음. (예문에서는 1격 der임!)

※ 1격이 아닐 경우 지시대명사는 필수적임 :

Wer einmal *lügt* , dem glaubt man nicht. '한번 거짓말한 자는 사람들이 믿지 않는다.'

► '사물'을 나타내는 관계대명사 *Was* ... '...하는 것' (이 경우는 중성 지시대명사 das, dem ...를 사용함!)

Was ich dir jetzt mitteilen muss, (das) ist eine schlimme Nachricht für dich.

'내가 지금 너에게 알려주어야 할 것은 너에게 아주 나쁜 소식이다.'

【135】 Mein Sohn hat die Prüfung bestanden, was mich sehr gefreut hat.

<해석> 나의 아들이 그 시험에 합격했는데, 그것은 나를 매우 기쁘게 했다.

▸ 관계대명사 *was* 는 앞 문장 전체를 받을 수 있음!

<참고> 전치사와 결합할 경우 "wo(*r*) + 전치사"임 :

Mein Sohn hat die Prüfung bestanden, worüber ich mich sehr gefreut habe.

'나의 아들은 그 시험에 합격했는데, 그것에 대해 나는 매우 기뻐했다.'

심화 문제

I. 관계대명사를 사용하여 연결하시오.

1. Die Kinder haben alle gelacht. / Ihnen habe ich das Foto gezeigt.
2. Gehen Sie doch zu der Ärztin! / Ihre Praxis ist hier ganz in der Nähe.
3. Das ist die junge Studentin. / Sie isst gern chinesisch und trinkt lieber Wein als Bier.
4. Das ist der intelligente Mann. / Ich bin zusammen mit ihm nach Hamburg gefahren.
5. Ich suche einen hübschen Jungen. / Der Name des Jungen beginnt mit A.
6. Heute Nachmittag habe ich eine Verabredung. / Darauf freue ich mich sehr.
7. Ich kenne die Leute sehr gut. / Dieses Haus gehört ihnen.

II. 밑줄 친 곳에 알맞은 말을 넣으시오.

1. Dr. Braun braucht dringend jemanden, ______ sich um die Kinder kümmert.
2. Das sind unsere Bekannten, ______ ______ wir zusammen Urlaub gemacht haben.
3. Das ist das Beste, ______ ich Ihnen im Moment anbieten kann.
4. Dieser Schüler ist der intelligenteste, ______ ich je unterrichtet habe.
5. Kennen Sie überhaupt niemanden, ______ Französisch kann?
6. Meine Kollegin hat ein kleines Kind, ______ ______ sie sich kümmern muss.
7. Wie gefällt dir denn die Krawatte, ______ ich dir geschenkt habe?
8. Ich kenne einen jungen Franzosen, ______ seit drei Jahren in München studiert.
9. Das ist alles, ______ ich weiß.
10. Wie heißt die Straße, ______ er wohnt?
11. Er ist 1963 in Hamburg geboren, ______ er heute noch lebt.
12. Das ist sicher etwas, ______ du leicht erledigen kannst.
13. Das ist die Methode, ______ ______ wir am besten vorankommen können.
14. Ich erkläre Ihnen das Projekt, ______ ______ Sie teilnehmen sollen.
15. Es gibt heute vieles, ______ wir besprechen müssen.

마무리 문제

I. 괄호 안의 낱말을 사용하여 독일어로 옮기시오.

1. 네가 어제 본 영화는 어땠니?
   (du, gestern, sich[3] ansehen, der Film, wie, sein)

2. 우리가 지난 일요일 식사했던 식당의 전화번호를 가지고 계십니까?
   (wir, letzt-, Sonntag, essen, das Restaurant, die Telefonnummer, Sie, haben)

3. 내가 당신에게 한 말은 전부 사실과 일치합니다.
   (ich, Ihnen, sagen, alles, die Wahrheit, entsprechen)

4. 나는 조용히 일할 수 있는 곳이 없습니다.
   (ich, in Ruhe, arbeiten, können, der Ort, kein-, es gibt)

5. 성적이 나쁜 학생들은 더 오랫동안 학교에 남아있어야 했다.
   (die Noten, schlecht, sein, die Schüler, länger, in der Schule, bleiben, müssen)

6. 정부가 도와주어야 하는 가난한 사람들이 많다.
   (die Regierung, helfen, müssen, arm, Leute, viele, es gibt)

II. 잘못된 부분(들)을 고쳐서 다시 적으시오.

1. Wir haben einen netten Brief von den Leuten bekommen, den wir im Urlaub kennen gelernt haben.

2. Ich habe die Wohnung verkauft, da ich 10 Jahre gelebt habe.

3. Wer waren die Leute, mit den du dich so lange unterhalten hast?

4. Ich habe dir schon alles gesagt, das ich weiß.

5. Mein kleiner Sohn stellt mir oft Fragen, worauf ich nicht antworten kann.

Lektion 24

수동태

1. 수동문의 "현재" 시제 : 「werden ... pp」 ('...되다 ')

Die Rechnung *wird* gleich *bezahlt* .

<해석> 그 계산서는 곧 지불*된다.*

► 동사 bezahlen('...을 지불하다')의 pp형은 bezahl*t* 임.
(3 기본형 : bezahl*en* - bezahl*te* - bezahl*t*)
따라서 수동문 "현재" 시제는 「werden ... bezahl*t*」 임!
즉 : Die Rechnung wird ... bezahl*t*.

2. 수동문의 "과거" 시제 : 「wurde ... pp」 ('...되었다 ')

Die Rechnung *wurde* gleich *bezahlt* .

<해석> 그 계산서는 곧 지불*되었다.*

► 동사 bezahlen의 수동문 「werden ... bezahl*t*」 의 "과거" 시제이므로
werden의 과거형 wurde 가 사용되어 「wurde ... bezahl*t*」 임!
즉 : Die Rechnung wurde ... bezahl*t*.
(주어가 Die Rechnung, 즉 여성의 sie이므로 과거형 wurde는 어미 없이 그대로 wurde_ 임.)

3. 수동문의 "현재완료" 시제 : 「sein ... pp worden」 ('...되었다 ')

Die Rechnung *ist* gleich *bezahlt worden* .

<해석> 그 계산서는 곧 지불*되었다.*

► 동사 bezahlen의 수동문 「werden ... bezahl*t*」 의 "현재완료" 시제이므로
werden이 현재완료 형식 「sein ... *worden*」 으로 변화하여 「sein ... bezahl*t* *worden*」 임!
즉 : Die Rechnung ist ... bezahl*t* *worden* .
※ werden은 완료형이 「haben ... pp」 가 아니라 「*sein* ... pp」 이며,
수동문의 werden은 pp형이 geworden이 아니라 *worden* 임!

4. 화법조동사와 결합한 수동문

Die Rechnung *muss* gleich *bezahlt werden* .

<해석> 그 계산서는 곧 지불*되어야 한다.*

► 동사 bezahlen의 수동문 「werden ... bezahl*t*」 이 화법조동사 müssen과 결합하므로
동사의 위치에 müssen이 오고, 문장 끝에는 수동문의 werden이 원형으로 옴!
따라서 「*müssen* ... bezahl*t* *werden*」 임!
즉 : Die Rechnung muss ... bezahl*t* werden .

※ 수동문의 '행위자' (= 능동문의 주어)는 전치사 *von*과 결합함!

Die Rechnung *wird* von ihm *bezahlt* . ⇐ *Er* bezahlt die Rechnung.

(수동문) '그 계산서는 *그에 의해* 지불된다.' (능동문) '*그는* 그 계산서를 지불한다.'

► 수동문의 내용인 '계산서 지불'의 행위자 Er가 전치사 von과 결합함 : *von* ihm '그에 의해'
(영. 수동문의 「by + 행위자」 에 해당!)

기초 문제

I. 주어진 동사를 사용하여 수동문을 만드시오 ("현재" 시제)

1. prüfen : Der Motor ______ morgen noch einmal __________.
2. sprechen : Welche Sprachen ______ in der Schweiz __________?
3. *ein*laden : Keine Sorge, du ______ sicher auch noch __________.
4. benutzen : Der Computer ______ bei uns nicht viel __________.
5. verkaufen : In Korea ______ viele deutsche Autos __________.
6. *ab*holen / reparieren : Der Fernseher ______ heute __________ und __________.

II. 주어진 동사를 사용하여 수동문을 만드시오 ("과거" 시제)

1. finden : Sein Gepäck ______ wieder __________.
2. beenden : Der Zweite Weltkrieg ______ im Mai 1945 __________.
3. *an*rufen : Warum ______ wir nicht __________?
4. übersetzen : Viele Bücher des Autors ______ ins Deutsche __________.
5. erklären : Die Sätze ______ ihm noch einmal __________.
6. erfinden : Wann ______ das Fernsehen __________?

III. 주어진 동사를 사용하여 수동문을 만드시오 ("현재완료" 시제)

1. sehen : Klaus ______ von Ulrike am Bahnhof __________ __________.
2. fragen : Warum sagst du nichts? - Ich ______ nicht __________ __________.
3. renovieren : Die alten Häuser am Markt ______ endlich __________ __________.
4. verkaufen : Die Maschine ______ vor einem halben Jahr __________ __________.
5. wiederholen : Das Konzert ______ wegen des großen Erfolgs am Sonntag __________ ________ .
6. *ein*laden : Warum kommt ihr nicht zur Party? - Wir ______ nicht _________ ______.

IV. <보기>에서 알맞은 동사를 선택하여 수동문을 완성하시오.

<보기> *auf*räumen, erfinden, kochen, öffnen, spielen, waschen

1. Das Zimmer wurde gründlich ____________.
2. Das Essen ist von einem berühmten Koch ____________ ____________.
3. In Deutschland wird viel Fußball ____________.
4. Der Laden wird um 8 Uhr ____________.
5. Diese Maschine ist vor einigen Jahren ____________ ____________.
6. Die Autos werden sauber ____________.

【136】 Der Junge ist bei dem Unfall schwer verletzt worden; er musste sofort ins Krankenhaus gebracht werden.

<해석> 그 소년은 그 사고에서 심하게 다쳤어요. 그는 곧바로 병원으로 보내어져야 했어요.

► "현재완료" 시제 수동문임 : Der Junge ist ... *verletzt* worden . (수동문의 werden의 pp형은 *worden* 임!)
<참고> 일반 동사 werden('...되다', 영. become)의 pp형은 *geworden* 임:
Er wird Musik. '그는 음악가가 된다.' → (현재완료) Er ist Musiker *geworden*. '그는 음악가가 되었다.'

► 수동문이 화법조동사 müssen의 "과거" 시제와 결합함 : ... er muss*te* ... *gebracht* werden .

【137】 Was hat die Stadtverwaltung vor? Will sie hier im Zentrum eine Schule bauen? - Ja, hier soll eine Schule gebaut werden.

<해석> 무엇을 시(市) 행정부가 계획하고 있습니까? 여기 중심부에 학교를 하나 세우려고 합니까?
- 예, 여기에 학교가 하나 세워진다고 합니다.

► 수동문이 화법조동사 sollen의 "현재" 시제와 결합함 :
... soll eine Schule *gebaut* werden . (여기서 sollen은 '예정, 계획'임!)

【138】 Heinrich Böll ist ein Autor, dessen Bücher überall gern gelesen werden.

<해석> 하인리히 뵐은 작가인데, 그의 책들이 도처에서 즐겨 읽힌다.

► *dessen* 은 앞의 *남성*명사 Autor를 받는 *남성 2격* 관계대명사임!

► 수동문이 관계대명사 부문장 안에서 *후치*됨 : ... ein Autor, *dessen* Bücher ... *gelesen* werden.

【139】 Von wem wurde der Verletzte untersucht? - Er ist von einem Arzt untersucht worden.

<해석> 누구에 의해 그 부상자가 진찰되었는가? - 그는 한 의사에 의해 진찰되었다.

► 수동문에서 '행위자'는 전치사 *von* 과 결합함 : ... von einem Arzt ... '한 의사*에 의해* '

【140】 Öffnen Sie bitte die Tür! - Aber die Tür ist doch schon geöffnet.

<해석> 문을 여세요. - (하지만) 문이 벌써 열려 있잖아요.

► '동작' 수동 「*werden* ... pp」 '...되다' vs. '상태' 수동 「*sein* ... pp」 '...되어 있다', '...된 상태이다'
Die Tür wird *geöffnet*. '문이 열린다.' ('동작' 수동!)
Die Tür ist *geöffnet*. '문이 열려 있다.' ('상태' 수동!)

【141】 Sie schließt das Autofenster. Dann schläft sie bei dem geschlossenen Fenster ein.

<해석> 그녀는 자동차 창문을 닫는다. 그런 다음 그녀는 창문이 닫혀진 상태로 잠든다.

► 타동사의 *과거분사* (= pp형)는 *수동*의 의미를 지닌 *형용사* 임!
타동사 schließen '...을 닫다' → 과거분사&형용사 geschlossen '닫혀진' : bei dem geschlossen*en* Fenster
<참고> *현재분사* (= 「동사원형 -d」)는 *능동*의 의미를 지닌 *형용사* 임!
동사 spannen '긴장시키다' → 현재분사&형용사 spannen*d* '긴장시키는', 즉 '흥미진진한'

심화 문제

I. 다음 밑줄 친 부분을 수동문으로 바꾸시오.

1. Der Arzt operiert den Jungen.
2. Hat man schon die Feuerwehr gerufen?
3. Ich weiß nicht, wann man den Kölner Dom erbaute.
4. Das Radio funktioniert nicht mehr. Kann man es überhaupt noch reparieren?
5. Das sind wichtige Informationen. Man muss sie unbedingt noch mitteilen.
6. Wir hoffen, dass uns die Firma einen Techniker schickt.

II. werden과 sein 가운데 알맞은 것을 사용하시오.

1. Im Ersten Weltkrieg ______ (wurde, war) die Stadt ganz zerstört.
2. Morgen reist mein Bruder für zwei Tage nach Paris; sein Koffer ______ (wird, ist) schon gepackt. Meine Mutter musste ihm dabei helfen.
3. Hast du dich erkältet? - Ja, ich ______ (werde, bin) erkältet.
4. Sieh mal, da ______ (werden, sind) gerade viele neue Gebäude gebaut.
5. Wenn man einen Brief bekommt, der in einer Fremdsprache geschrieben ______ (wird, ist), die man nicht versteht, lässt man ihn übersetzen.
6. Unser Haus ______ (wurde, war) gestern für 50 000 Euro verkauft.

III. 괄호 안의 낱말(들)을 활용하여 문장을 완성하시오.

1. Die Verletzten müssen im Krankenhaus noch gründlicher (untersuchen).
2. Hast du das auch schon gehört? Die Firma soll von einer anderen Firma (übernehmen).
3. Siehst du dir heute Abend auch den Krimi im Fernsehen an? - Ich kann leider nicht. Mein Fernseher (gerade reparieren).
4. Will man dieses Buch übersetzen? - Ja, das Buch soll (übersetzen).
5. Wann soll ich den Text korrigieren? - Der muss (sofort korrigieren).

IV. 주어진 문장의 의미를 다른 문형을 사용하여 표현하시오.

1. Das Problem kann leicht gelöst werden.
2. Das Gerät muss nach jedem Gebrauch gereinigt werden.
3. Die Rechnung ist bis zum 27. des Monats zu bezahlen.
4. Die Theorie des Wissenschaftlers ist unerklärbar.
5. Dieses Manuskript ist noch einmal zu bearbeiten, bevor man es in den Druck gibt.

마무리 문제

I. 괄호 안의 낱말을 사용하여 독일어로 옮기시오.

1. 너도 페터의 생일 파티에 초대 받았니?
   (du, auch, Peter, die Geburtstagsparty, zu, einladen)

   ____

2. 수재민들은 정부의 지원을 받는다.
   (die Opfer des Hochwassers, die Regierung, von, unterstützen)

   ____

3. 이 편지는 오늘 안으로 발송되어야 한다.
   (dies-, Brief, heute, noch, abschicken, müssen)

   ____

4. 나의 어머니는 어제 병원에서 퇴원했다.
   (mein-, die Mutter, gestern, das Krankenhaus, aus, entlassen)

   ____

5. 신청서는 7월 15일까지 제출되어야 한다.
   (der Antrag, Juli, der 15., bis zum, einreichen, zu, sein)

   ____

6. 그 협정은 의회에서 인준된 후에 발효되었다.
   (das Abkommen, es, das Parlament, von, ratifizieren, nachdem, in Kraft treten)

   ____

II. 잘못된 부분(들)을 고쳐서 다시 적으시오.

1. Das Haus ist 1966 gebaut.

   ____

2. Er muss sofort operieren werden.

   ____

3. Der Roman ist nach seinem Tod veröffentlicht geworden.

   ____

4. Der Vorschlag lässt nicht leicht realisieren.

   ____

5. Das Buch ist wirklich gespannt und gut schreibend.

   ____

Lektion 25

접속법 II (1)

접속법 II : 현실과 다른 내용을 가정해서 말하는 "비현실화법"은 *접속법 II* 가 사용됨.
(*접속법 I* 은 무엇보다 "간접화법"에서 사용됨!)

(1) 접속법 II 동사의 형태 : 동사의 *과거형*을 바탕으로 어미변화 함!
(3 기본형이 불규칙 변화인 동사는 Umlaut가 이루어짐!)

sein : war → wär / haben : hatte → hätte / werden : wurde → würde
können : konnte → könnte / müssen : musste → müsste / dürfen : durfte → dürfte
※ wollen : wollte → wollte (Umlaut 없음!) / sollen : sollte → sollte (Umlaut 없음!)

	sein	haben	werden	können	müssen	wollen
ich	wär*e*	hätte	würde	könnte	müsste	wollte
du	wär(*e*)*st*	hätte*st*	würde*st*	könnte*st*	müsste*st*	wollte*st*
er, sie, es	wär*e*	hätte	würde	könnte	müsste	wollte
wir	wär*en*	hätte*n*	würde*n*	könnte*n*	müsste*n*	wollte*n*
ihr	wär*et*	hätte*t*	würde*t*	könnte*t*	müsste*t*	wollte*t*
sie (Sie)	wär*en*	hätte*n*	würde*n*	könnte*n*	müsste*n*	wollte*n*

(2) 비현실화법

① *현재* 혹은 *미래* 사실에 대한 비현실적 가정 : 동사를 접속법 II 형태로!

Wenn ich Geld *hätte*, *würde* ich einen Sprachkurs im Ausland *machen*.

<해석> 내가 돈이 있다면, 해외 어학연수를 할 텐데.

► 실제로는 '돈이 없어서 해외 어학연수를 하지 못하는' *현재* 상황을 두고 비현실적 가정을 함!
Wenn ich ... hätte , ... (동사 haben의 접속법 II 형태 → hätte)
... , würde ich ... *machen*. (동사 werden의 접속법 II 형태 → würde)

Petra spricht so gut Koreanisch, als ob sie eine Koreanerin *wäre*.

<해석> 페트라는 마치 한국인인 것처럼 (그렇게) 한국어를 잘한다.

► als ob ...('*마치 ...인 듯이*')은 비현실적 가정을 전제하므로 항상 접속법 II가 사용됨.
실제로는 '한국 사람이 아닌' 페트라를 '마치 한국 사람인 듯' 비현실적 가정을 함!
... , als ob sie ... wär*e*. (동사 sein의 접속법 II 형태 → wär)

② *과거* 사실에 대한 비현실적 가정 : 완료형에서 haben 및 sein을 접속법 II 형태로!
즉 「hätte ... pp」 혹은 「wär ... pp」 (= 접속법 II 완료형!)

Wenn du vorsichtiger *gewesen wärest*, *hättest* du keinen Unfall *gehabt*.

<해석> 더 주의했더라면 너는 그 사고를 당하지 않았을 것이다.

► 실제로는 '주의하지 못해서 사고를 당한' *과거* 상황을 두고 비현실적 가정을 함!
Wenn du ... *gewesen* wär*est* , ...
(동사 sein의 접속법 II 완료형 「wär*est* ... *gewesen*」 이 후치됨!)
... , hätte*st* du ... *gehabt*.
(동사 haben의 접속법 II 완료형 「hätte*st* ... *gehabt*」 가 사용됨.)

기초 문제

I. 다음 동사의 접속법 II 형태를 적으시오.

1. sein: ich _____ / du _____ / er _____ / wir ______ / ihr _____ / sie, Sie ______
2. haben : ich _____ / du _____ / er _____ / wir ______ / ihr _____ / sie, Sie ______
3. werden : ich _____ / du _____ / er _____ / wir ______ / ihr _____ / sie, Sie ______
4. wollen : ich _____ / du _____ / er _____ / wir ______ / ihr _____ / sie, Sie ______
5. können : ich _____ / du _____ / er _____ / wir ______ / ihr _____ / sie, Sie ______
6. müssen : ich _____ / du _____ / er _____ / wir ______ / ihr _____ / sie, Sie ______
7. dürfen : ich _____ / du _____ / er _____ / wir ______ / ihr _____ / sie, Sie ______
8. geben : ich _____ / du _____ / er _____ / wir ______ / ihr _____ / sie, Sie ______
9. bleiben : ich _____ / du _____ / er _____ / wir ______ / ihr _____ / sie, Sie ______
10. kommen : ich _____ / du _____ / er _____ / wir ______ / ihr _____ / sie, Sie ______
11. wissen: ich _____ / du _____ / er _____ / wir ______ / ihr _____ / sie, Sie ______
12. gehen : ich _____ / du _____ / er _____ / wir ______ / ihr _____ / sie, Sie ______

II. 주어진 동사의 접속법 II 형태를 사용하여 문장을 완성하시오.

1. Wenn wir mehr Zeit (haben), (können) wir mehr Sport treiben.
2. Wenn er einen Freund (haben), (müssen) er nicht allein reisen.
3. Wenn Sie an meiner Stelle (sein), (werden) Sie auch diese Einladung sofort annehmen.
4. Wenn ich gestern nicht betrunken (sein), (bringen) ich dich nach Hause.
5. Wenn du in deiner Schulzeit fleißiger (sein), (sein) du jetzt erfolgreicher.
6. Wenn ich damals die letzte Frage richtig (beantworten), (haben) ich jetzt ein A+.
7. Wenn die Kranken rechtzeitig zum Arzt (gehen), (sein) sie nicht gestorben.
8. Wenn mich meine Mutter nicht (anrufen), (haben) ich den Geburtstag meines Vaters vergessen.
9. Wenn es keinen Verkehrsstau (geben), (haben) wir den Zug noch geschafft.

III. 주어진 동사의 접속법 II 형태를 사용하여 다음 문장을 완성하시오.

1. Die neue Kollegin spricht so gut Deutsch, als ob sie eine Deutsche (sein).
2. Er verhält sich, als ob ihm nichts (passieren).
3. Die Leute sprechen immer so, als ob sie alles (wissen).
4. Sie hat sich um mich gekümmert, als ob sie meine Mutter (sein).
5. Mein Nachbar tat so, als ob er mich nicht (sehen)

【142】 Hilf mir doch! Wenn du mir helfen würdest, könnte ich schneller fertig werden.

<해석> (그러지 말고) 나 좀 도와줘! 네가 나를 돕는다면, 나는 더 빨리 일을 끝낼 수 있을 텐데.

► 동사의 접속법 II 형태 : 조동사 wär, hätte, würde 및 화법조동사 könnte, müsste, dürfte, möchte, wollte, sollte를 제외하고, *일반 동사*의 경우 *구어체*에서는 접속법 II 대신 주로 「würde ... 동사 원형」이 사용됨.
위 예문은 구어체로서 동사 helfen의 접속법 II 형태인 hülfe (혹은 hälfe) 대신에 「würde ... helfen」이 옴 :
(구어체) Wenn du ... *helfen* würdest , könnte ich ... = (문어체) Wenn du ... hülf*est* , könnte ich ...

【143】 Er ist plötzlich an einem Herzinfarkt gestorben. Wäre der Rettungswagen rechtzeitig gekommen, würde er heute noch leben.

<해석> 그는 갑자기 심장마비로 죽었어. 만약 구급차가 제 때에 왔더라면, 그는 오늘까지도 살았을 텐데.

► '조건'을 나타내는 *wenn*-부문장의 경우, 접속사 wenn이 생략되고 동사가 문장 맨 앞으로 와서 도치될 수 있음!
Wäre der Rettungswagen ... *gekommen* , ... = *Wenn* der Rettungswagen ... *gekommen* wäre , ...

【144】 Wenn ich das nur geahnt hätte! / Hätte ich das nur geahnt!

<해석> 내가 그것을 예감만 했었어도!

► 접속법 II 형태의 *wenn*-부문장이 홀로 오면 '아쉬움' 등을 나타냄. (이 경우 부사어 nur, bloß 등이 사용됨!)

【145】 Warum ist denn Thomas noch nicht da? Ich dachte, alle Deutschen wären pünktlich.

<해석> 도대체 토마스는 왜 아직 오지 않은 거야? 나는 독일 사람들은 모두 시간을 잘 지킨다고 생각했는데.

► '모든 독일인들이 시간을 잘 지킨다'는 생각이 실제 사실과 다른 비현실적 내용이므로 접속법 II 가 사용됨 :
Viele kleine Kinder glauben, dass es einen Weihnachtsmann gäbe.
'많은 아이들이 산타클로스가 있다고 믿는다.' (믿고 있는 내용이 실제 사실과 다르므로 접속법 II가 사용됨.)

► 「all*e* + 형용사 *-en* + 복수명사」 : all*e* Deutsch*en* '모든 독일인' / all*e* nett*en* Leute '모든 친절한 사람들'

【146】 Wir haben alles zusammen gemacht. Sonst hätten wir das nie geschafft.

<해석> 우리는 모든 것을 함께 했다. 그렇지 않았더라면 절대로 그것을 해낼 수 없었을 것이다.

► 부사어 sonst('그렇지 않을 경우')에 의해 '비현실적 가정'이 이루어짐. (앞 문장 내용을 부정하는 '가정'!) :
Sonst hätten wir das nie geschafft.
= *Wenn* wir alles *nicht* zusammen *gemacht* hätten , hätten wir ... nie geschafft.

【147】 Ohne Wasser hätte sich auf der Erde nie Leben entwickeln können.

<해석> 물이 없었더라면, 지구에 절대로 생명이 생겨날 수 없었을 것이다.

► 4격 전치사 ohne('~없이')에 의해 '비현실적 가정'이 이루어짐 :
Ohne Wasser hätte ... = *Wenn* es kein Wasser *gegeben* hätte , hätte ...

► 화법조동사의 접속법 II 완료형 : 「hätte ... *entwickeln* können」 (← 「haben ... *entwickeln* können」)

심화 문제

I. 접속법 II 문장의 의미를 직설법 문장(들)로 표현하시오.

1. Wenn ich Zeit hätte, könnte ich dir helfen.
2. Wenn er sich entschuldigt hätte, wäre sie nicht so sauer gewesen.
3. Er spricht so gut Deutsch, als ob er ein Deutscher wäre.
4. Wenn ich mehr verdienen würde, könnte ich dein Studium finanzieren.
5. Wärst du hier, wäre ich nicht traurig.
6. Wenn du auf meinen Rat gehört hättest, wäre das nicht passiert.

II. 직설법 문장의 의미를 접속법 II 문장으로 표현하시오.

1. Er hat nicht angerufen. Deshalb wurde er am Flughafen nicht abgeholt.
2. Ich wurde dauernd gestört. Deshalb ist diese Arbeit immer noch nicht fertig.
3. Die Prüfung war sehr schwer. Deshalb habe ich sie nicht bestanden.
4. Das Wetter ist heute sehr schlecht. Deshalb bleiben wir zu Hause.
5. Er war nicht lange in Deutschland. Deshalb spricht er Deutsch nicht fließend.
6. Ich bin krank. Deshalb kann ich nicht arbeiten.
7. Du bist nicht zu mir gekommen. Deshalb habe ich dir die Fotos nicht gezeigt.
8. Wir kaufen die Fahrkarten im Ausland. Deshalb müssen wir viel mehr bezahlen.
9. Ich war nicht da. Deshalb konnte ich dir nicht helfen.

III. 접속법 II 를 사용하여 문맥에 맞게 문장을 완성하시오.

1. Er hat mich gesehen, aber er tut, als ob er mich nicht ________________.
2. Sie hat mich schon verstanden, aber sie verhält sich so, als ob ________________.
3. Er ist nicht reich, aber er benimmt sich, als ob er ein Millionär ________________.
4. Sie waren noch nie im Ausland, aber sie erzählen, als ob sie schon überall auf der Welt ________________.

IV. 주어진 문장의 의미를 접속법 II 형태를 사용하여 표현하시오.

1. Unterschreib den Vertrag nicht!
   ⇒ Wenn ich an deiner Stelle ________________________________.
2. Sag die Wahrheit!
   ⇒ Wenn ich du ____.
3. Bitte jemanden um Hilfe, wenn du so wenig Zeit hast!
   ⇒ Wenn ich so wenig Zeit ________________________________.

마무리 문제

I. 괄호 안의 낱말을 사용하여 독일어로 옮기시오.

1. 비가 오지 않는다면, 산책을 갈 수 있을 텐데.
   (regnen, werden, wenn, spazieren, gehen, man, können)

   ____

2. 네가 도와주지 않았다면, 나는 이 번역을 끝마치지 못했을 것이다.
   (du, helfen, nicht, wenn, ich, diese Übersetzung, beenden, nicht, können)

   ____

3. 물이 없다면 인간은 살 수 없을 것이다.
   (Wasser, kein, es gibt, die Menschen, leben, nicht, können)

   ____

4. 내가 다시 한 번 20살이 된다면, 나는 의학을 전공할 텐데.
   (ich, noch, einmal, 20, sein, wenn, ich, werden, die Medizin, studieren)

   ____

5. 그가 내게 한번만이라도 전화를 했었더라면, 그것이 내게 그렇게 힘들지는 않았을 텐데.
   (er, mich, ein einziges Mal, nur, anrufen, wenn, für mich, nicht, so, schwer, es, sein)

   ____

II. 잘못된 부분(들)을 고쳐서 다시 적으시오.

1. Er konnte wohl schlechter Laune sein. Er sieht ärgerlich aus.

   ____

2. Er tut, als ob er mich nicht kennt.

   ____

3. Wenn ich an deiner Stelle war, hätte ich das Angebot nicht angenommen.

   ____

4. Ich habe ihm das nicht sagen sollen. Er wurde gleich wütend.

   ____

5. Warum weißt du das nicht? Ich dachte, alle Koreaner sind Computerspezialisten.

   ____

6. Ohne Sprache haben die Menschen die Kultur und die Zivilisation nicht entwickelt.

   ____

Lektion 26

접속법 I / 접속법 II (2)

접속법 I : 다른 사람의 말이나 생각을 간접적으로 전달하는 "간접화법"의 경우 *접속법 I* 이 사용된다. 동사의 접속법 I 형태는 *원형*을 바탕으로 어미변화 한다.
(※ 주어가 *du* 및 *er* (*sie, es*), 그리고 *ihr*일 때 어미변화 방식이 직설법과 다름!)

			hab*en*	werd*en*	könn*en*	müss*en*	sei*n*
ich	-*e*	⇒	hab*e*	werd*e*	könn*e*	müss*e*	sei
du	-*est*	⇒	hab*est*	werd*est*	könn*est*	müss*est*	sei*est*
er, sie, es	-*e*	⇒	hab*e*	werd*e*	könn*e*	müss*e*	sei
wir	-*en*	⇒	hab*en*	werd*en*	könn*en*	müss*en*	sei*en*
ihr	-*et*	⇒	hab*et*	werd*et*	könn*et*	müss*et*	sei*et*
sie (Sie)	-*en*	⇒	hab*en*	werd*en*	könn*en*	müss*en*	sei*en*

※ 밑줄 친 경우처럼 접속법 I 형태가 직설법과 구분되지 않을 경우는 간접화법에서 주로 접속법 II 형태가 대신 사용됨 : ich habe (접속법 I) → ich hätte (접속법 II)

Er sagt, dass *er* keine Zeit habe. = Er sagt, *er* habe keine Zeit.

<해석> 그는 시간이 없다고 한다.

▸ 주어가 er이므로 동사 haben의 접속법 I 형태는 hab*e*임.

※ 앞 예문에서는 *dass*-부문장이므로 *후치법* : ... , *dass er* keine Zeit hab*e*.
반면에 뒤 예문에서는 종속접속사 *dass*가 없으므로 *정치법* : ... , *er* hab*e* keine Zeit.

Er hat geschrieben, dass *er* krank sei.

<해석> 그는 아프다고 (메일에) 썼다.

▸ 주어가 er이므로 동사 sein의 접속법 I 형태는 sei임 : ... , dass *er* krank ... sei.

Er hat geschrieben, dass *er* krank *gewesen* sei.

<해석> 그는 아팠었다고 (메일에) 썼다.

▸ 동사 sein의 접속법 I 완료형 「*er* sei ... *gewesen*」 이 *후치*됨 : ... , dass *er* krank *gewesen* sei.

※ 부문장에 완료형이 올 경우, 주문장의 시점보다 이전에 이루어진 내용을 나타냄.
즉 "그가 메일을 쓴 시점보다 이전에 아팠다"는 내용을 전달하고 있음.

Er sagte, dass *ich* noch genug Geld dabei hätte.

<해석> 그는 내가 아직 돈을 충분히 많이 가지고 있다고 말했다.

▸ 주어가 ich일 때 동사 haben의 접속법 I 형태인 habe가 와야 하지만, 직설법과 구분되지 않으므로 접속법 II 형태인 hätte가 사용됨 : ... , dass *ich* noch genug Geld dabei hätte.

Er fragte mich, ob *ich* am Wochenende zu Hause *gewesen* sei.

<해석> 그는 내가 주말에 집에 있었냐고 물었다.

▸ 의문사 없는 질문을 간접화법으로 전달하는 경우 종속접속사 *ob*이 사용됨.
이 예문을 직접화법으로 표현하면 : Er fragte mich: "Warst du am Wochenende zu Hause?"

※ 의문사가 있는 질문의 경우 해당 의문사가 종속접속사로 사용됨 :
Er fragte mich: "*Wer* kommt heute Abend?"
→ Er fragte mich, *wer* heute Abend komm*e*.

기초 문제

I. 다음 동사의 접속법 I 형태를 적으시오.

1. sein : ich _____ / du _____ / er _____ / wir ______ / ihr _____ / sie, Sie ______
2. haben : ich _____ / du _____ / er _____ / wir ______ / ihr _____ / sie, Sie ______
3. werden : ich _____ / du _____ / er _____ / wir ______ / ihr _____ / sie, Sie ______
4. sagen : ich _____ / du _____ / er _____ / wir ______ / ihr _____ / sie, Sie ______
5. kommen : ich _____ / du _____ / er _____ / wir ______ / ihr _____ / sie, Sie ______
6. machen : ich _____ / du _____ / er _____ / wir ______ / ihr _____ / sie, Sie ______
7. können : ich _____ / du _____ / er _____ / wir ______ / ihr _____ / sie, Sie ______
8. wollen : ich _____ / du _____ / er _____ / wir ______ / ihr _____ / sie, Sie ______
9. müssen : ich _____ / du _____ / er _____ / wir ______ / ihr _____ / sie, Sie ______
10. sollen : ich _____ / du _____ / er _____ / wir ______ / ihr _____ / sie, Sie ______
11. dürfen : ich _____ / du _____ / er _____ / wir ______ / ihr _____ / sie, Sie ______

II. 직접화법 문장을 간접화법으로 표현하시오.

1. Er sagte mir: „Du bist ein Feigling."
   ⇒ Er sagte mir, dass ______ ein Feigling __________.
2. Sie fragte mich: „Gefällt es dir in Deutschland?"
   ⇒ Sie fragte mich, ob es ______ in Deutschland __________.
3. Er fragte sie: „Wie geht es Ihnen?"
   ⇒ Er fragt sie, wie es ______ __________.
4. Er wollte von mir wissen: „Warum bist du nicht zu meiner Party gekommen?"
   ⇒ Er wollte von mir wissen, warum _____ nicht zu ______ Party gekommen ________.
5. Meine Mutter fragte mich: „Wann hast du morgen Unterricht?"
   ⇒ Meine Mutter fragte mich, wann ______ morgen Unterricht ________.

III. 다음 간접화법 문장을 직접화법 문장으로 바꾸시오.

1. Er sagte, er habe in Deutschland promoviert.

   ____

2. Anne behauptet, sie habe Peter auf der Party gesehen.

   ____

3. Sie hat mir geschrieben, ich solle vorsichtig fahren.

   ____

4. Er fragte mich, ob ich am Wochenende zu Hause gewesen sei.

   ____

【148】 Sie meinte, dass sie morgen nicht zur Arbeit kommen könne.

<해석> 그녀는 내일 출근할 수 없다고 말했다.

► 동사 meinen('...라는 의견이다')은 간접적인 언급을 뜻하므로 해당 내용은 *간접화법*으로 표현할 수 있음!
주어가 여성의 sie이므로 화법조동사 können의 접속법 I 형태는 könne 임 : ... , dass *sie* ... *kommen* könne.

【149】 Er hat die Frau bei der Polizei angezeigt, weil sie ihn betrogen habe.

<해석> 그는 자신에게 사기쳤다는 이유로 그 부인을 경찰에 신고했다.

► 분리동사 *anzeigen* : 「zeigen + 4격(사람) + bei der Polizei ... *an*」 '누구를 경찰에 신고하다'
► 위 예문에서 *weil*-부문장은 언급된 내용을 간접적으로 전달하는 *간접화법*임.
동사 betrügen('사기치다')의 *접속법 I 완료형*임. 주어가 여성의 sie이므로 조동사 haben의 형태는 habe임.
즉 : ... , weil *sie* ... *betrogen* habe.

【150】 Mein Chef sagte, er habe während seiner Studienzeit Deutsch gelernt. Ich hätte auch lieber Deutsch lernen sollen.

<해석> 우리 팀장은 대학시절에 독일어를 배웠다고 한다. 나도 차라리 독일어를 배웠어야 했는데.

► 「hätte ... 동사 원형 sollen」 '...했어야만 했다' (과거에 실현되지 못한 것에 대한 아쉬움!)

【151】 Viele Deutsche fürchten sich nun vor der Inflation, die ihren Wohlstand ruinieren könnte. Die Preise würden so hoch steigen, dass man für Kleinigkeiten eine Menge Geld zahlen müsste.

<해석> 많은 독일 사람들이 이제 그들의 풍요로운 생활수준을 파괴할 수도 있는 인플레이션을 걱정하고 있다. 물가가 작은 것에도 많은 돈을 지불해야 할 정도로 많이 오를 것이라고 한다.

► 앞 문장에서 관계대명사 문장 안의 접속법 II 표현 "*ruinieren* könnte"는 단지 '이론적으로만 가능함'을 나타냄.
► 뒤 문장은 독일인들의 생각을 간접적으로 나타낸 간접화법임 :
Die Preise würden ... *steigen* , dass man ... *zahlen* müsste.

【152】 Würdest du mir bitte einen Gefallen tun? Könntest du mir fürs Wochenende dein Auto leihen?

<해석> 부탁 하나 들어주겠니? 주말 동안 네 자동차 좀 빌려줄 수 있니?

► 「*Könnten* Sie (bitte) ... 동사 원형?」 = 「*Würden* Sie (bitte) ... 동사 원형?」 '...해주시겠습니까?' (공손한 부탁)
► 「tun + 3격(사람) + einen Gefallen」 '누구에게 호의를 보이다'

【153】 Es gibt keine Fremdsprache, die man nicht meistern könnte. Das gilt auch für Deutsch!

<해석> 정복할 수 없는 외국어는 없다. 이 점은 독일어에도 역시 해당된다.

► "Es gibt *keine* ..." : 언급된 대상이 현실에 존재하지 않음! → 비현실화법의 접속법 II 형태 könnte가 옴!
► gelten '적용되다' (gelten - galt - gegolten) : du gil*tst* ; er gil*t* (현재 시제 단수 2, 3인칭 불규칙!)

심화 문제

I. 다음 문장을 간접화법으로 표현하시오.

1. Er sagte mir: „Du bist ein Lügner."

____

2. Sie fragte mich: „Liebst du mich?"

____

3. Er sagte am Telefon: „Ich habe keine Zeit."

____

4. Er sagte zu ihr: „Ich komme heute spät nach Hause."

____

5. Sie hat behauptet: „Ich habe den Zug verpasst."

____

II. 다음 문장을 제시된 의미와 같은 뜻이 되도록 완성하시오.

1. Jeder Mensch hat in seinem Leben schon einmal einen Fehler gemacht.
   Es gibt keinen Menschen, der ______________________________
2. Für jede Regel gibt es eine Ausnahme.
   Es gibt keine Regel, für die ______________________________
3. Jeder Mensch hat in seinem Leben schon einmal gelogen.
   Es gibt keinen Menschen, der ______________________________
4. Niemand hat immer gute Laune.
   Es gibt niemanden, der ______________________________
5. Ich kann dir immer alles sagen.
   Es gibt nichts, was ______________________________

III. 다음 문장을 화법조동사를 사용하여 공손한 표현으로 만드시오.

1. Sprechen Sie langsamer!

____

2. Sagen Sie mir, wohin diese U-Bahn fährt!

____

3. Warten Sie einen Augenblick!

____

4. Bringen Sie mir eine Tasse Kaffee!

____

5. Ich habe eine Frage.

____

마무리 문제

I. 괄호 안의 낱말을 사용하여 독일어로 옮기시오.

1. 그는 나에게 어디에서 왔냐고 물었다.
   (er, mich, woher, kommen, fragen)

   ____

2. 그녀는 자신이 대학시절에 톱모델이었다고 주장한다.
   (sie, in der Studienzeit, das Topmodel, behaupten)

   ____

3. 한글이 없다면 한국에는 문맹이 훨씬 더 많을 것이다.
   (das koreanische Alphabet Hangeul, ohne, in Korea, der Analphabet, viel, es gibt)

   ____

4. 내가 좀 더 열심히 공부했더라면, 그 시험에 합격할 수 있었을 텐데.
   (ich, ein bisschen, fleißig, lernen, die Prüfung, bestehen, können)

   ____

5. 오래 행복하게 살려고 하지 않는 사람은 없다.
   (glücklich, lange, leben, wollte, der Mensch, es gibt)

   ____

II. 잘못된 부분(들)을 고쳐서 다시 적으시오.

1. Wirst du mir bitte einen Rat geben?

   ____

2. Er sagte, dass er vor 30 Jahren sehr reich sei.

   ____

3. Er fragte mich, ob ich gut nach Hause kam.

   ____

4. Sie meinten, sie sein am Wochenende im Theater gewesen.

   ____

5. Wenn du mich davor gewarnt hast, habe ich das sicher nicht getan.

   ____

6. Nach Angaben der Polizei ist das Verbrechen schon lange vorher geplant geworden.

   ____

7. Er hat sich die ganze Zeit so benommen, als ob er kein Wort verstanden hat.

   ____

GRAMMATIK

교재편

독문법 강의록 - 교재편

초판 1쇄 발행 2012년 3월 15일
초판 2쇄 발행 2017년 4월 4일

지은이 신형욱 · 김백기
발행인 김인철
총괄 · 기획 가정준 Director, University Press
편집장 신선호 Executive Knowledge Contents Creator
도서편집 김민정 Contents Creator
전자책편집 최인우 Chief e-Contents Creator
재무관리 김은혜 Managing Creator
발행처 한국외국어대학교 지식출판원
02450 서울특별시 동대문구 이문로 107
전화 02)2173-2493~7
FAX 02)2173-3363
홈페이지 http://press.hufs.ac.kr
전자우편 press@hufs.ac.kr
출판등록 제6-6호(1969. 4. 30)
디자인 · 편집 (주)이환디앤비 02)2254-4301
인쇄 · 제본 네오프린텍 02)718-3111

ISBN 978-89-7464-720-9 14750
ISBN 978-89-7464-719-3 (세트) 세트정가 62,000원

* 잘못된 책은 교환하여 드립니다.